ESPAÑOL LENGUA EXTRANJERA
Libro de ejercicios

PASAPORTE

PASAPORTE ELE

Nivel 1

A1

Matilde Cerrolaza Aragón
Óscar Cerrolaza Gili
Pilar Justo Muñoz

edelsa
GRUPO DIDASCALIA, S.A.

Primera edición: 2007

© **Edelsa Grupo Didascalia, S.A.** Madrid, 2007.
Autores: Matilde Cerrolaza Aragón, Óscar Cerrolaza Gili, Pilar Justo Muñoz.

Dirección y coordinación editorial: Departamento de Edición de Edelsa.
Diseño de cubierta: Departamento de Imagen de Edelsa.
Diseño y maquetación de interior: Dolors Albareda.

Imprime: Lavel.

ISBN: 978-84-7711-394-2

Depósito Legal: M-25518-2007

Impreso en España / *Printed in Spain*

Ilustraciones:
Alejandra Fuenzalida.

CD audio:
Voces de la locución: Ángel Font, Carmen Mayordomo.
Producción dirigida y realizada por TALKBACK para Edelsa Grupo Didascalia.
Ingenieros de sonido: Eva Laspiur, José Emilio Muñoz.
Asistente de estudio: Nano Castro.

MÓDULO 1

Vocabulario

Los datos personales: los apellidos, el nombre, la firma, el lugar de nacimiento, el número de pasaporte, el sexo, la dirección, etc.

Los nombres de los países y las nacionalidades: Alemania: alemán, alemana; Argentina: argentino, argentina; España: español, española; Estados Unidos: estadounidense; Francia: francés, francesa; Grecia: griego, griega; Holanda: holandés, holandesa; Italia: italiano, italiana; Japón: japonés, japonesa; Marruecos: marroquí; México: mexicano, mexicana; Rusia: ruso, rusa; etc.

Los números: cero, uno, dos, tres, cuatro, cinco, seis, siete, ocho, nueve, diez.

Las profesiones: abogado/a, biólogo/a, camarero/a, dependiente/a, estudiante, fontanero/a, informático/a, médico/a, músico/a, periodista, policía, profesor/-a, etc.

Gramática

Los verbos en presente

Pronombres sujeto	Regulares				Irregulares	
	TRABAJ-AR	COM-ER	ESCRIB-IR	LLAM-AR-SE	TENER	SER
Yo	Trabaj-**o**	Com-**o**	Escrib-**o**	Me llam-**o**	Tengo	Soy
Tú	Trabaj-**as**	Com-**es**	Escrib-**es**	Te llam-**as**	Tienes	Eres
Él, ella, usted	Trabaj-**a**	Com-**e**	Escrib-**e**	Se llam-**a**	Tiene	Es
Nosotros/as	Trabaj-**amos**	Com-**emos**	Escrib-**imos**	Nos llam-**amos**	Tenemos	Somos
Vosotros/as	Trabaj-**áis**	Com-**éis**	Escrib-**ís**	Os llam-**áis**	Tenéis	Sois
Ellos, ellas, ustedes	Trabaj-**an**	Com-**en**	Escrib-**en**	Se llam-**an**	Tienen	Son

Interrogativos

¿Cómo?	**Para preguntar el nombre** **Para saber escribir algo**	*¿Cómo te llamas?* *¿Cómo se escribe?*
¿Cuál?	**Para preguntar el apellido**	*¿Cuál es tu apellido?*
¿De dónde?	**Para preguntar el origen o la nacionalidad**	*¿De dónde eres?*
¿Dónde?	**Para preguntar la dirección** **Para preguntar por el lugar de trabajo**	*¿Dónde vives?* *¿Dónde trabajas?*
¿Qué?	**Para saludar y preguntar cómo está una persona** **Para saber la ocupación**	*¿Qué tal?* *¿Qué haces?*

Funciones

Saludar y despedirse:
- Hola; ¿Qué tal?; Buenos días/tardes/noches; Adiós; Hasta luego/mañana; etc.

Conocer a otra persona:
- ¿Cómo te llamas?   – Me llamo ....
- ¿De dónde eres?   – De .... Soy de ....
- ¿Qué haces?   – Soy ...., etc.

Manejarse en un hotel:
- Tengo una habitación reservada.
- – Sí, ¿a nombre de quién?
- De .... , para .... noches.
- – Su pasaporte, por favor; Aquí tiene; etc.

AGENCIA DE VIAJES

Su nombre, por favor.

Alberto.

Identifica a las personas

1 **Clasifica los siguientes nombres según su género.** **M** (masculino) **F** (femenino)

	M	F			M	F			M	F
1. Ana	☐	☒	5.	Alberto	☒	☐	9.	Diego	☒	☐
2. Rosario	☒	☐	6.	Paloma	☐	☒	10.	Ernesto	☒	☐
3. Miguel	☒	☐	7.	Marina	☐	☒	11.	Raquel	☐	☒
4. Carolina	☐	☒	8.	Elena	☐	☒	12.	Rubén	☒	☐

¿Qué apellidos tienen?

2 **Escucha los apellidos y escríbelos.**

1. Claudia   C.ORTÉS...   P.UERTAS.   4. Antonio   J.IMÉNEZ   G.ARCÍA..
2. Luisa   M.ÉNDEZ..   G.UISADO   5. Federico   S............   L.ÓPEZ....
3. Pilar   LLAMO.....   M..UÑOZ   6. Noelia   R.UBIO.....   S.ERRANO
   GÓMEZ   JUSTO   RUIZ

¿Conoces españoles famosos?

3 **Escribe el nombre y los apellidos.**

1. Un/-a cantante. ....
2. Un/-a pintor. ....
3. Un/-a deportista. ....
4. Un/-a actor/actriz. ....
5. Un/-a escritor/-a. ....

Me llamo Claudia

4 **Lee el siguiente texto y relaciona.**

Hola, me llamo Claudia. Tengo dieciséis años. Estudio en una escuela secundaria. Soy de Cáceres, una ciudad de España. Vivo con mis padres. Mi padre se llama Felipe Rey y mi madre se llama Teresa Izquierdo. No tengo hermanos.

1. Apellido 1   Rey   a. Española
2. Apellido 2   Izquierdo   b. Cáceres
3. Lugar de nacimiento Cáceres   c. Izquierdo
4. Nacionalidad   Española   d. Rey
5. Nombre   Claudia   e. Mujer
6. Profesión   Estudiante   f. Claudia
7. Sexo   Femenino   g. Estudiante
   (mujer)

Dar sus datos

5 Escucha y completa la ficha.

Apellido 1: ...JOSÉ GARCÍA JUSTO...   Nacionalidad: ...ESPAÑOL...
Apellido 2: ...MÉNDEZ...   Sexo: ...MASCULINO...
Nombre: ...JOSÉ...   Profesión: ...INGENIERO...

¿Quién quieres ser?

6 Haz tu propia tarjeta y preséntate a tu compañero.

¿Qué hacen?

7 ¿Qué profesiones representan estos dibujos? Escribe el nombre.

1. ...ACTOR/A ACTRIZ...   2. ...PILOTO...   3. ...ESCRITOR/A...   4. ...MECÁNICO...

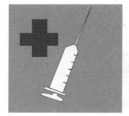

5. ...ENFERMERO/A...   6. ...ARQUEÓLOGO/A...   7. ...PINTOR/A...   8. ...ELECTRICISTA...

9. ...PROFESOR/A...   10. ...DEPENDIENTE...   11. ...COCINERO/A...   12. ...COMERCIANTE...

Manuales o intelectuales

8 Clasifica las profesiones anteriores.

Manuales	Intelectuales

¿Quién soy yo?

9 **Relaciona y escribe una frase.**

Nombre	Nacionalidad	Profesión
1. Naguib Mahfuz	Chile	futbolista
2. Julia Roberts	México	cantante
3. Raúl González	Francia	escritor
4. Isabel Allende	España	diseñador de moda
5. Yves Saint Laurent	EE. UU	pintor
6. Diego Rivera	Reino Unido	actriz
7. Phill Colins	Egipto	escritora

Naguib Mahfuz es egipcio y es escritor.

JULIA ROBERTS ES ESTADOUNIDENSE Y ES ACTRIZ

ISABEL AllENDE ES CHILENA Y ES ESCRITORA

¿Cuál es mi profesión?

10 **Escucha las descripciones que hacen estas personas de su trabajo y escribe su nombre.**

1. VETERINARIO
2. TAXISTA
3. CAMARERO
4. ESCRITOR
5. PROFESOR
6. GUÍA TURÍSTICO
7. MECÁNICO
8. ENFERMERO

profesor, taxista, escritor, camarero, guía turístico, mecánico, enfermero, veterinario.

Se busca

11 **Lee los anuncios de trabajo y completa el recuadro.**

ANUNCIOS BREVES

1. Azafatas para líneas aéreas en Valencia. Jóvenes con buena presencia. Dominio de alemán e inglés. Necesaria experiencia. Disponibilidad absoluta. Interesadas enviar correo electrónico a: azaftasa@val.com

ANUNCIOS BREVES

2. Se buscan 3 camareros para restaurante en Tenerife. Fines de semana. Inglés imprescindible. No necesaria experiencia. Tel. 928 33 44 52, preguntar por Srta. Marijose.

ANUNCIOS BREVES

3. Animadores para campamento infantil en Segovia. Jóvenes entre 20 y 30 años. Experiencia y titulación apropiadas. Llamar lunes de 9.00 a 14.00. Tel. 921 65 98 39, preguntar por Alberto.

ANUNCIOS BREVES

4. Autoescuela en Málaga busca profesores. Preferible mujeres. Experiencia 3 años. Imprescindible inglés. Incorporación inmediata. Interesados llamar al tel. 95 462 17 35.

Profesión	Edad	Idiomas
HOSTESS	JÓVENES	AUTMÁN Y INGLÉS
CAMAREROS	CUALQUIERA	INGLÉS
ANIMADORES	ENTRE 20 Y 30 AÑOS	NO NECESARIOS
PROFESORES DE AUTOESCUELA	CUALQUIERA	INGLÉS

Lugar	Experiencia	Otros
VALENCIA	NECESARIA	DISPONIBILIDAD ABSOLUTA
TENERIFE	NO NECESARIA	FINES DE SEMANA
SEGOVIA	NECESARIA	
MÁLAGA	3 AÑOS	PREFERIBLE MUJERES

¿En qué país está?

1

Observa las fotos y escribe el nombre del país donde están estos monumentos.

1. La Torre Eiffel
2. Las Pirámides
3. El Empire State
4. La Puerta de Brandemburgo

FRANCIA   EGIPTO   ESTADOS UNIDOS EE.UU.   ALEMANIA

5. La Gran Muralla
6. El Cristo de Corcovado
7. El Taj Mahal
8. El Machu Picchu

CHINA   ....   MEXICO MEJICO

Español, española

2

Ahora completa el cuadro.

PAÍS	MASCULINO	FEMENINO
1. Alemania	alemán	ALEMAÑA
2. República Checa	CHECO	checa
3. ARGENTINA	argentino	argentina
4. Marruecos	marroquí	MARROQUÍ
5. JAPON	japonés	japonesa
6. Venezuela	VENEZOLANO	venezolana
7. BRASIL	brasileño	brasileña
8. Grecia	griego	GRIEGA
9. Bélgica	BELGA	belga
10. Rusia	RUSO	rusa

¿De dónde son?

3

Completa las siguientes frases.

1. Alejandro es (Venezuela) ...VENEZOLANO...
2. Hassan es (Marruecos) ...MARROQUÍ...
3. Bruno es (Brasil) ...BRASILEÑO...
4. Sofía es (Grecia) ...GRIEGA...

5. Marcella es (Italia) ...ITALIANA...
6. Marie es (Francia) ...FRANCESA...
7. Claudia es (Alemania) ...ALEMANA...
8. Iván es (Rusia) ...RUSO...

¿Masculino o femenino?

4

Marca las nacionalidades que oigas.

1. ☒ alemán   ☒ alemana
2. ☒ japonés   ☐ japonesa
3. ☐ danés   ☒ danesa
4. ☒ suizo   ☐ suiza
5. ☐ venezolano   ☒ venezolana

6. ☐ argentino   ☒ argentina
7. ☒ español   ☐ española
8. ☒ chino   ☐ china
9. ☐ brasileño   ☒ brasileña
10. ☒ egipcio   ☐ egipcia

Yo soy Luna y soy artista. Vivo en Madrid y trabajo en el teatro, ¿y tú?

Yo soy Begoña y soy enfermera, y él se llama Enrique y es piloto.

Él o ella

1 Completa con los pronombres que faltan.

SINGULAR	PLURAL
~~yo~~ YO	nosotros/as
tú	~~nosotros~~ VOSOTROS/AS
EL/ELLA	ellos/ellas
usted	USTEDES

¿Quién es?

2 Di a qué persona corresponde cada ilustración.

1. yo
2. él
3. nosotros
4. usted
5. vosotros
6. tú

a.

ELLOS/VOSOTROS
b.

YO

c.

USTED

d.

NOSOTROS

e.

TÚ

f.

Encuentra los verbos

3 Aquí tienes 8 infinitivos. Encuentra las personas y completa el cuadro.

aprender, estudiar, comprar, hablar, cantar, comer, vivir, escribir.

```
a p r e n d e n a c
b e e s c r i b o x
e r o t y z a m e v
s b c u e f p d e i
t a c d e r f g h v
u i j i a k l c c e
d m h a b l a m o s
i n o s l n q r m s
o t u v t w x y e z
a b c o v i v i s d
```

VERBO	PERSONA
vives	*tú*
APRENDEN	ELLOS/ELLAS/USTEDES
ESTUDIAS	EL/ELLA/USTED
ESCRIBO	YO
HABLAMOS	NOSOTROS/AS
COMES	TÚ
COMPRA	EL/ELLA/USTED
CANTO	YO

¿Quién?

4

Di la persona.

1. vivimos .....NOSOTROS/A.....
2. hablan .....ELLOS/AS.....
3. escribo .....YO.....
4. coméis .....VOSOTROS/AS.....
5. estudiamos .....NOSOTROS/AS.....
6. corro .....YO.....
7. hablas .....TÚ.....

8. leen .....ELLOS/AS.....
9. bailamos .....NOSOTROS/AS.....
10. comen .....ELLOS/ELLAS.....
11. trabajas. .....TÚ.....
12. escribimos .....NOSOTROS/AS.....
13. beben .....ELLAS/AS.....
14. saludan ....."....

15. cantas .....TÚ.....
16. leemos .....NOSOTROS/AS.....
17. subo .....YO.....
18. cantamos .....NOSOTROS/AS.....
19. bailáis .....VOSOTROS/AS.....
20. corres .....TÚ.....
21. nadamos .....NOSOTROS/AS.....
  NUOTARE

En orden

5

Ordena las frases y léelas.

1. peluquería/María/una/trabaja/en.   PARRUCCHIERE   MARÍA TRABAJA EN UNA PELUQUERÍA
2. y/colegio/los/de/compañeros/clase/yo/en/el/comemos.   YO Y LOS COMPAÑEROS DE CLASE COMEMOS EN EL COLEGIO
3. aeropuerto/un/azafata/soy/en/trabajo.   SOY AZAFATA, TRABAJO EN UN AEROPUERTO
4. lunes/vosotros/ciencias/los/estudiáis.   LUNES VOSOTROS ESTUDIÁIS LAS CIENCIAS
5. corren/polideportivo/los/en/el/municipal/deportistas.   LOS DEPORTISTAS CORREN EN EL POLIDEPORTIVO MUNICIPAL
6. nuevos/el/ formulario/los/con/rellenas/datos.   RELLENAS EL FORMULARIO CON LOS NUEVOS DATOS
  RIEMPIRE

¿Qué pronombre falta?

6

Completa las frases con el pronombre adecuado.

1. ....ELLA.... se llama Ariane y vive en Berlín.
2. ¿....TÚ.... vives en Málaga?
3. ....NOSOTROS/AS.... no estudiamos español.
4. ....ELLOS/AS.... trabajan en Suiza, en Berna.
5. ¿....VOSOTROS/AS.... visitáis Brasil? ....NOSOTROS/AS.... visitamos Portugal.
6. ....EL/ELLA.... va al cine el sábado por la tarde.
7. ....YO.... veo la televisión por la noche. ¿Y ....TÚ....?

¿Tú o usted?

7

Escucha las frases y escríbelas.

a. **Clasifica las frases (tú o usted).**

TÚ	USTED
3 ¿Estudias o trabajas? 4 ¿Trabajas hoy? 5 ¿Cómo te llamas? 6 ¿Dónde vives? 8 ¿De dónde eres?	1 ¿Qué tal está? 2 ¿Qué hace? 7 ¿Come en el restaurante? 9 ¿Dónde vive? 10 ¿Vive aquí? 11 ¿Estudia español?

b. **Ahora transforma las frases con *tú* en frases con *usted*.**

- ¿Estudia o trabaja?
- ¿Trabaja hoy?
- ¿Cómo se llama?

- ¿Dónde vive?
- ¿De dónde es?

En tu idioma

8

¿Cómo se dice en tu lengua?

1. ¿Estudiáis Ciencias en clase?
2. ¿Vives cerca del trabajo?
3. Escribo correos electrónicos a mis amigos.
4. Los deportistas corren en el polideportivo municipal.

5. Los jóvenes bailan en la discoteca.
6. María trabaja en una oficina. _OFFICIO!_
7. Mis compañeros de clase y yo vamos al cine.
8. Mis hermanos y yo vemos la tele.

¿Qué hacen estas personas?

9

Escribe el infinitivo.

1. BAILAR
2. BIBIR
3. CAMINAR
4. COMER
5. HABLAR

6. COMPRAR
7. CORRER
8. ESCRIBIR
9. ENSEÑAR
10. SUBIR (LA ESCALINATA)

11. LEER
12. SALUDARSE
13. ESTUDIAR
14. MIRAR

 ¿Quién, qué y dónde?

10

Escucha y completa el cuadro.

	Quién	Qué	Dónde
1.	Javier	compra fruta	mercado
2.	Wisa y Pedro	Trabajan como abogados	despacho
3.	Mercedes y sus amigas	estudian	biblioteca
4.	Charo y María	cantan	coro
5.	Jorge	corre una hora	parque
6.	Carlos (con sus compañeros)	come	restaurante
7.	Ana y sus amigas	bailan (de trabajo)	discoteca

La persona adecuada

1

Conjuga los verbos.

1. Yo (ser) ....*soy*.......... de Argentina.
2. Mi amigos Rubén y Raúl (tener) ...*tenéis*...... dos hermanas.
3. Mi madre (llamarse) *se llama*...... Pilar.
4. Mi padre (tener) ......*tiene*......... sesenta años.
5. Nosotras (ser) ......*somos*...... estudiantes y (llamarse) *nos llamamos* Nuria y Helena.

Tengo o tienes

2

Subraya la forma adecuada.

1. Nicolás *tengo* / tiene veinte años.
2. La hermana de Isabel *es* / son española.
3. Yo se llama / *me* llamo Carolina.
4. Nosotros tienen / *tenemos* una casa grande
5. Vosotros *os llamáis* / se llaman Julio y Alberto.
6. Ellos *son* / sois decoradores.

¡Hola, amigos!

3

Escucha y completa el texto.

¡Hola, amigos! ......*soy*........ Estrella y escribo este correo para presentarme. ......*tengo*..... 20 años. ......*vivo*........ en Madrid, en un piso compartido con una amiga que ...*se llama*... Clara. Yo ......*soy*...... diseñadora de moda y ella ......*es*...... traductora. Clara ...*habla*...... español y árabe porque su padre ......*es*.......... egipcio. ....*somos*..... buenas amigas. También ....*tengo*.... un hermano que se llama Carlos. Mi hermano ....*tiene*........ 18 años y ......*es*........ estudiante.

Presentarse

4

Relaciona y escribe un pequeño texto con la información, después léelo en voz alta.

Ser	hermanos
	25 años
	muchos amigos
Tener	holandés
	estudiante
	Markus
Llamarse	simpático

¿De dónde?

1

Escribe las preguntas correctamente.

1. ¿Quéhaces? *¿QUÉ HACES?*
2. ¿Dóndevives? *¿DÓNDE VIVES?*
3. ¿Cómosellamaella? *¿CÓMO SE LLAMA ELLA?*
4. ¿Cuálestunúmerodepasaporte? *¿CUÁL ES TU NÚMERO DE PASAPORTE?*
5. ¿Dedóndeeres? *¿DE DÓNDE ERES?*

Ahora contesta a las preguntas con tu información.

1. *ESCRIBO*
2. *EN PISA*
3. *SE LLAMA MARU*
4. *BO!*
5. *DE ITALIA, SOY ITALIANA*

Forma frases

2

Ordena las frases.

1. ¿se/cómo/llama/hermano/tu? *¿CÓMO SE LLAMA TU HERMANO?*
2. ¿vive /dónde/María? *¿DÓNDE VIVE MARÍA?*
3. ¿ y/Carlo/dónde/de/son/Paola? *¿DE DÓNDE SON PAOLA Y CARLO?*
4. ¿hace/qué? *¿QUÉ HACE?*
5. ¿nombre/cuál/es/su? *¿CUÁL ES SU NOMBRE?*

Vivo en Gijón

3

Lee el siguiente párrafo y escribe preguntas según la información.

Mi nombre es Antonio Justo Sanz y vivo en Gijón, una ciudad de Asturias. Tengo 25 años y trabajo en una oficina cerca de casa. Soy arquitecto. Mi casa es pequeña, pero muy cómoda. Tengo un hermano que se llama Felipe. Mi hermano vive con mis padres en Madrid.

¿CÓMO TE LLAMAS? ¿DÓNDE VIVES? ¿CUÁNTOS AÑOS TIENES? ¿DÓNDE TRABAJAS? ¿DE QUÉ TE OCUPAS? ¿CÓMO ES TU CASA? ¿CÓMO SE LLAMA TU HERMANO? ¿Y DÓNDE VIVE?

8 ## ¿Y tú?

4

Escucha y contesta.

1. *¿Como te llamas? Alice*
2. *Rafa Porras*
3. *Soy de italia* *El mi profesor de española se llama*
4. *¿A QUE TE DEDICAS? Yo vivo en Pisa*
5. *El mi número de pasaporte es...*
6. *Spagnola se dice*

En tu idioma

5

¿Cómo se dice en tu lengua?

1. ¿qué? *CHE*
2. ¿cuál? *QUALE*
3. ¿cómo? *COME*
4. ¿dónde? *DOVE*
5. ¿de dónde? *DI DOVE*

Speech bubbles: ¡Hola! Buenos días — ¡Buenos días! ¿Qué tal?

El primer contacto

1 Completa el cuadro.

	Formal	Informal
1. Para saludarse	(¡Hola!), Buenos días Buenas tardes Buenas noches	BUENOS DIAS ¡Hola!, ¿qué tal (estás)? ¿Qué tal?
2. Para despedirse	Adiós	ADIOS CHAO Hasta luego Hasta MAÑANA
3. Para responder al saludo	Encantado/a Mucho gusto	¡Hola!
4. Para preguntar el nombre y el apellido	¿Cuál es su nombre? ¿CUÁL ES SU APELLIDO? ¿Cómo se llama?	¿CÓMO TE LLAMAS? ¿Cuál es tu apellido? ¿CÓMO ES TU NOMBRE?
5. Para preguntar por el origen o la procedencia	¿DE DÓNDE ES?	¿De dónde eres?
6. Para preguntar por el domicilio	¿Dónde vive?	¿DÓNDE VIVIS?
7. Para preguntar por la profesión	¿A QUE SE DEDICA? ¿CUÁL ES SU PROFESIÓN?	¿A qué te dedicas? ¿Qué haces?

Peter y Laura

2 Ordena el siguiente diálogo. Léelo en voz alta. Cuidado con la entonación.

- [2] ¡Hola!, ¿qué tal? Yo me llamo Peter.
- [10] ¿Qué haces en España?
- [6] No, no soy de Londres. Soy de Liverpool, pero vivo en Manchester.
- [7] ¡Ah!, ¿sí?
- [8] Sí, ¿y tú?
- [3] ¿De dónde eres, Peter?
- [9] Pues yo soy italiana, de Milán.
- [5] ¿Inglés? ¿De Londres?
- [11] Estudio español, es muy importante para mi trabajo.
- [12] ¿Sí? Yo también estudio español.
- [1] ¡Hola! Yo soy Laura, ¿y tú?
- [4] Soy inglés.

¿ Y usted?

3 Escribe el diálogo anterior con la forma usted.

Sinónimos

4 Relaciona las expresiones que significan lo mismo.

1. ¿Qué tal?
2. ¿Qué es esto?
3. Soy Ana
4. Soy española

a. ¿Esto qué es?
b. Soy de España
c. ¿Cómo estás?
d. Mi nombre es Ana

Encantada

5 Escucha y completa el diálogo.

- ¡Hola! Yo soy Inés. ¿Y tú?, ¿cómo te llamas?
- ¿De dónde eres?
- Pues yo soy checa, de Praga.
- Sí, hoy es mi primer día.
- Mucho gusto.

– Me llamo Frédéric
– Soy frances, de ~~Paris~~ Toulouse
– ¿Estudias español aqui en Madrid?
– Encantado

En la recepción del hotel

6 Observa y relaciona.

Recepcionista	Clienta
1. Buenos días. C	a. Solo tres.
2. ¿A nombre de quién? d	b. Aquí tiene.
3. ¿Para cuántas noches? a	c. Buenos días, tengo una habitación reservada.
4. Su pasaporte, por favor. b	
5. Aquí tiene su pasaporte y la llave de la habitación. Es la 405. e	d. Nuria, Nuria Bes.
	e. Muy bien, gracias.

1 Escribe el nombre de las personas.

1. ce, ele, a, ere, a — CLARA
2. eme, i, ge, u, e, ele — MIGUEL
3. ce, a, ere, eme, e, ene — CARMEN
4. erre, o, de, ere, i, ge, o — RODRIGO
5. pe, a, ce, o — PACO
6. a, ene, te, o, ene, i, o — ANTONIO
7. e, ese, te, ere, e, elle, a — ESTRELLA
8. i, ese, a, be, e, ele — ISABEL

2 Escucha y escribe las palabras que oyes.

1. María
2. Carlos
3. Pasaporte
4. hotel
5. Teléfono
6. mecánico
7. Profesor
8. Marruecos
9. Italia
10. Gracias

3 Señala la letra que oigas.

1. ☒ b ☐ p
2. ☐ m ☒ n
3. ☒ r ☒ rr
4. ☐ d ☒ t
5. ☒ l ☐ r
6. ☐ n ☒ ñ

4 Escucha estos mini diálogos y anota el número de teléfono de tus amigos.

1. María: móvil 629186692   fijo NO TENGO
2. Pilar: móvil 915222389   fijo 628001156
3. Antonio: móvil 650142312   fijo 914671381

5 Lee y escucha las siguientes palabras y marca la sílaba fuerte. Coloca cada palabra en la columna adecuada.

padres, tímida, príncipe, España, madre, simpático, hermano, estúpido, casado, mujer, música, llama, sobrino, clásica, bigote, épocas, moreno, delgado, político, barba, dirección, administración, informática, empresa, señora, logística.

SÍLABA FUERTE		
Última	**Penúltima**	**Antepenúltima**
mujer	Padres	Tímida
Dirección	España	Príncipe
administración	Madre	simpático
	hermano	estúpido
	casado	música
	llama	clásica
	sobrino	
	bigote	épocas
	moreno	político
	delgado	informática
	barba	logística

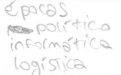

Ficha 1 Léxico

Pista 1: ¿Qué apellidos tienen?

Cortés, Puertas, Méndez, Justo, Gómez, Serrano, López, Rubio, Muñoz, García, Ruiz, Jiménez.

Pista 2: Dar sus datos

Hola, me llamo José. Soy español y vivo en Madrid con mis padres y mi hermano Kike. Mi padre se llama Enrique Justo y mi madre se llama Begoña Méndez. Soy ingeniero.

Pista 3: ¿Cuál es mi profesión?

1. Cuido a los animales que están enfermos. Soy...
2. Llevo a las personas desde el aeropuerto hasta el hotel en mi coche. Soy...
3. Sirvo la comida a los clientes. Trabajo en un restaurante. Soy...
4. Escribo historias interesantes. Trabajo en casa. Soy...
5. Enseño español. Trabajo en una escuela. Soy...
6. Hablo inglés y español con los turistas. Trabajo en un museo. Soy...
7. Arreglo coches. Trabajo en un taller. Soy...
8. Cuido a las personas enfermas y trabajo en un hospital. Soy...

Ficha 2 Léxico

Pista 4: ¿Masculino o femenino?

1. alemana, 2. japonés, 3. danesa, 4. suizo, 5. venezolana, 6. argentina, 7. español, 8. chino, 9. brasileña, 10. egipcio.

Ficha 3 Gramática

Pista 5: ¿Tú o usted?

1. ¿Qué tal está?, 2. ¿Qué hace?, 3. ¿Estudias o trabajas?, 4. ¿Trabajas hoy?, 5. ¿Cómo te llamas?, 6. ¿Dónde vives?, 7. ¿Come en el restaurante?, 8. ¿De dónde eres?, 9. ¿Dónde vive?, 10. ¿Vive aquí?, 11. ¿Estudia español?

Pista 6: ¿Quién, qué y dónde?

1. Todos los días Javier compra fruta en el mercado. 2. Luisa y Pedro trabajan en un despacho, son abogados. 3. Mercedes y sus amigas estudian en la biblioteca. 4. Charo y María cantan en el coro. 5. Jorge corre por el parque una hora. 6. Carlos come en el restaurante con sus compañeros de trabajo. 7. Ana y sus amigas bailan en la discoteca los sábados.

Ficha 4 Gramática

Pista 7: ¡Hola, amigos!

¡Hola amigos! Soy Estrella y escribo este correo para presentarme. Tengo 20 años. Vivo en Madrid, en un piso compartido con una amiga que se llama Clara. Yo soy diseñadora de moda y ella es traductora. Clara habla español y árabe porque su padre es egipcio. Somos buenas amigas. También tengo un hermano que se llama Carlos. Mi hermano tiene 18 años y es estudiante.

Ficha 5 Gramática

Pista 8: ¿Y tú?

1. ¿Cómo te llamas?, 2. ¿Cómo se llama tu profesora de español?, 3. ¿De dónde eres?, 4. ¿Dónde vives?, 5. ¿Cuál es tu número de pasaporte?, 6. ¿Cómo se dice "español" en tu idioma?

Ficha 6 Funciones

Pista 9: Encantada

- ¡Hola! Yo soy Inés, ¿y tú?, ¿cómo te llamas?
– Me llamo Frédéric.
- ¿De dónde eres?
– Soy francés, de Toulouse.
- Pues yo soy checa, de Praga.
– ¿Estudias español aquí en Madrid?
- Sí, hoy es mi primer día.
– Encantado.
- Mucho gusto.

Ficha 7 Fonética

Pista 10: Ejercicio 2

María, Carlos, pasaporte, hotel, teléfono, mecánico, profesor, Marruecos, Italia, gracias.

Pista 11: Ejercicio 3

1. b, 2. n, 3. rr, 4. t, 5. l, 6. ñ.

Pista 12: Ejercicio 4

- ¡Hola! María, ¿me das tu número de teléfono?
– Vale, es el 629 18 46 92
- ¿Y el fijo?
– No, no tengo.
- Oye, Pilar, ¿cuál es tu número de teléfono?
– El 91 522 23 89.
- No, tu móvil.
– 628 00 11 56.
- Gracias.
- Antonio, ¿tienes móvil?
○ Sí, mi número es el 650 14 23 12 y el fijo es 91 447 13 81.

Pista 13: Ejercicio 5

padres, tímida, príncipe, España, madre, simpático, hermano, estúpido, casado, mujer, música, llama, sobrino, clásica, bigote, épocas, moreno, delgado, político, barba, dirección, administración, informática, empresa, señora, logística.

Vocabulario

Los miembros de una familia: abuelo/a, hermano/a, hijo/a, madre, marido, mujer, novio/a, padre, primo/a, sobrino/a, tío/a, etc.

Describir físicamente a una persona: alto/a - bajo/a, gordo/a - delgado/a, las gafas, la barba, el bigote, rubio/a, castaño/a, moreno/a, el pelo largo, corto, rizado o liso, calvo, etc.

Describir el carácter de una persona: amable - grosero/a, inteligente - estúpido/a, sencillo/a, complicado/a, simpático/a - antipático/a, sincero/a - mentiroso/a, tímido/a - extravertido/a, trabajador/-a - vago/a, sensible - frío/a, etc.

Los puestos de trabajo: administrativo/a, comercial, director/-a, empleado/a, informático/a, jefe/a, promotor/-a, secretario/a, etc.

Gramática

Los adjetivos posesivos

				Poseedor				
			Un poseedor			Varios poseedores		
			Yo	Tú	Usted, él, ella	Nosotros, nosotras	Vosotros, vosotras	Ellos, ellas, ustedes
Objeto o persona poseído	Uno	Masculino	mi	tu	su	nuestro	vuestro	su
		Femenino				nuestra	vuestra	
	Varios	Masculino	mis	tus	sus	nuestros	vuestros	sus
		Femenino				nuestras	vuestras	

ESTAR
Estoy
Estás
Está
Estamos
Estáis
Estás

GUSTAR			
A mí	me	gusta	el...
A ti	te		la...
A él, ella, usted	le		infinitivo
A nosotros/as	nos	gustan	los...
A vosotros/as	os		las...
A ellos, ellas, ustedes	les		

Los demostrativos

Distancia	Singular	Plural
Cerca	este / esta	estos / estas
Media distancia	ese / esa	esos / esas
Lejos	aquel / aquella	aquellos / aquellas

Funciones

Presentar a otras personas:
- Mira, te presento a ...., Sr./Sra. ...., le presento a ....
– Mucho gusto. Encantado/a, etc.

Identificar a otra persona:
- ¿Quién es el / este / ese / aquel de.......?
– Es...

Los abuelos: el abuelo y la abuela
Los hermanos: el hermano y la hermana
Los hijos: el hijo y la hija
La pareja: el marido y la mujer
Los nietos: el nieto y la nieta

Los novios: el novio y la novia
Los padres: el padre y la madre
Los primos: el primo y la prima
Los sobrinos: el sobrino y la sobrina
Los tíos: el tío y la tía

Marido y...

1 **Relaciona.**

1. abuelo   a. hijo
2. marido   b. sobrino
3. padre   c. nieto
4. tío   d. mujer

El hijo de mi hijo

2 **Lee las definiciones y completa este crucigrama.**

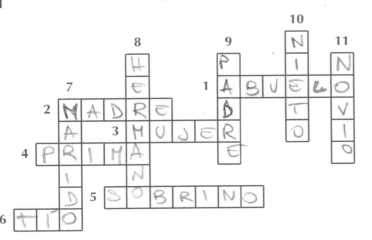

Horizontales

1. El padre de mi madre.
2. Yo soy su hijo (de ella).
3. Estoy casado con ella.
4. Es la hija de mi tío.
5. El hijo de mi hermano.
6. El hermano de mi padre o de mi madre.

Verticales

7. Él está casado conmigo.
8. Él es también hijo de mis padres.
9. Yo soy su hijo (de él).
10. El hijo de mi hijo.
11. No está casado, pero sale con mi hija.

La guía telefónica

3

Observa esta guía telefónica y responde a las preguntas.

1. ¿Quién es el padre? *VERDEJO TONTERO TOMÁS*
2. ¿Cuál es el primer apellido de la madre? *GÓMEZ*
3. ¿Quién es la hija? *MARÍA VERD. GÓMEZ*

VERDEJO GÓMEZ, Damián	921552365
VERDEJO GÓMEZ, María	921557631
VERDEJO TONTERO, Tomás	921551401

El árbol genealógico de Lucas

4

Lee el texto y forma el árbol genealógico de Lucas. Pon los apellidos de cada uno.

Hola, yo soy Lucas Romero Juárez. Tengo tres hermanos: Alicia, Isabel y Tomás. Mis padres se llaman Vicente e Inmaculada. Mi padre tiene un hermano, Matías, casado con Lucía García Sans. Sus hijos, Marcos y Lorena, están solteros. Mis abuelos, los padres de mi madre, son Gregorio Juárez Jiménez y Rebeca Galindo Martínez. Mis abuelos paternos son Miguel Romero Esteban y Marisa Nogueira Vélez. Mi madre tiene una hermana, la tía Clara.

14

El libro de familia

5

Escucha y completa el libro de familia de Ana.

5	Hijo
Nombre *ANA*	
Apellidos *ÁNGEL*	
hijo de *OSCAR* y de *ASUNCIÓN*	
Nació el día .... de .... de	
en .... (provincia)	
Registro Civil de .... { Tomo .... / Pág. .... }	
Observaciones	
Sello y fecha:	
Certifica(n) y firma(n) D.	
.... (1) el día .... de	
de .... en .... (provincia)	
Registro Civil de .... { Tomo .... / Pág. .... }	
Observaciones	
Sello y fecha:	
Certifica(n) y firma(n) D.	

(1) Falleció, se casó o cualquier otro hecho que afecte al hijo y suponga extinción de la patria potestad.

— 8 —

6	Hijo
Nombre *ELENA*	
Apellidos	
hijo de *OSCAR* y de *ASUNCIÓN*	
Nació el día .... de .... de	
en .... (provincia)	
Registro Civil de .... { Tomo .... / Pág. .... }	
Observaciones	
Sello y fecha:	
Certifica(n) y firma(n) D.	
.... (1) el día .... de	
de .... en .... (provincia)	
Registro Civil de .... { Tomo .... / Pág. .... }	
Observaciones	
Sello y fecha:	
Certifica(n) y firma(n) D.	

(1) Falleció, se casó o cualquier otro hecho que afecte al hijo y suponga extinción de la patria potestad.

— 9 —

En tu idioma

6

Escribe en tu idioma estas palabras.

1. abuelo/a *NONNO/A*
2. hermano/a *FRATELLO/SORELLA*
3. hijo/a *FIGLIO/A*
4. madre *MADRE*
5. marido *MARITO*
6. mujer *MOGLIE*
7. nieto/a *NIPOTE*
8. novio/a *FIDANZATO*
9. padre *PADRE*
10. primo/a *CUGINO/CUGINA*
11. sobrino/a *NIPOTE*
12. tío/a *ZIO/ZIA*

CUÑADO = cognato / YERNO = genero / NUERA = nuora / SUEGRO/A = suocero/a

Nuestras familias

7

Habla con tu compañero y comparad vuestras familias.

Magro
Delgada
Alto
Rubio

OCCHIALI   BAFFI   =FLACA

alto/a - bajo/a, las gafas, la barba, el bigote, gordo/a - delgado/a, el pelo largo - corto, rizado - liso,
rubio/a - castaño/a - moreno/a, etc. -PELIRROJO/A - MELENA

¿Sabes cómo es?

1

Adivina la palabra.

1. No tiene pelo, es ....CALVO..........
2. No es nada gordo, es ....FLACO/DELGADO......
3. No tiene el pelo ni rubio, ni moreno, lo tiene ...BLANCO/CASTAÑO/ROJO
4. Es lo contrario de largo, es ....CORTO............
5. Muchas personas las llevan para leer. Son ...LAS...GAFAS....

¿Cómo son?

2

Escucha estas descripciones y pinta las caras.

 RAÚL CALVO  MATEO  MARIBEL

BIGOTE

BARBA MORENA

CASTAÑA

¿Dónde están las palabras?

3

Localiza en esta sopa de letras ONCE palabras.

E	P	R	O	M	O	R	E	N	A	A
C	O	R	T	B	A	R	B	A	E	C
M	R	U	B	I	O	I	R	T	L	A
S	T	L	A	G	I	Z	N	A	G	S
G	O	R	D	O	X	A	L	T	A	T
A	B	I	N	T	U	D	E	T	D	A
F	M	O	R	E	N	O	S	A	O	Ñ
A	V	A	J	E	H	I	L	I	S	O
S	U	E	B	A	J	O	Ñ	O	T	E

MORENA
MORENO
BARBA
CASTAÑO
GORDO
RIZADO
RUBIO
LISO
BIGOTE
BAJO
ALTA

El intruso

4

En estas series de palabras hay un intruso. Localízalo.

1. Tiene el pelo: rubio, moreno, castaño, ~~bajo~~.
2. Lleva el pelo: rizado, ~~alto~~, corto, liso, largo.
3. Es: barba, alto, bajo.
4. Lleva: barba, bigote, ~~rubio~~, gafas.
5. Es: calvo, ~~rizado~~, gordo, alto, delgado.

El casting

5

Lee el texto, observa las fotos y elige la que corresponde al anuncio.

ANUNCIOS BREVES

Productora de cine
BUSCA

Mujer de 45 años, morena, de pelo rizado, gordita, alta, ojos grandes y marrones para anuncio publicitario.

Interesadas mandar foto a

personal@publicitaria.com

1. ☒ 2. ☐

¿Cómo sois?

6

Compárate con tu compañero.

Ejemplo: *Él es alto, rubio, delgado y lleva gafas. Yo soy alto, moreno y gordo.*

En tu idioma

7

Escribe en tu idioma estas palabras.

1. las gafas   OCCHIALI
2. la barba   BARBA
3. el bigote   BAFFI
4. el pelo   CAPELLI
5. alto/a   ALTO/A
6. bajo/a   BASSO/A
7. gordo/a   GRASSO/A
8. delgado/a   MAGRO/A

9. largo/a   LUNGO/A
10. corto/a   CORTO/A
11. rizado/a   RICCIO/A
12. liso/a   LISCIO/A
13. rubio/a   BIONDO/A
14. castaño/a   CASTANO/A
15. moreno/a   BRUNO/A
16. calvo   CALVO

*triste - alegre, amable - grosero/a, inteligente - estúpido/a, sencillo/a - complicado/a,
simpático/a - antipático/a, sincero/a - mentiroso/a, tímido/a - extravertido/a,
trabajador/-a - vago/a, sensible - frío/a, etc.*

Si no es simpático, es antipático

1 **Escucha y di los contrarios.**

1. ~~ANTIPÁTICO~~ GROSERO
2. ESTÚPIDO
3. SENCILLO
4. ANTIPÁTICO

5. MENTIROSO
6. EXTRAVERTIDO
7. VAGO
8. FRÍO

El mejor candidato para cada puesto

2 **Relaciona las descripciones con el puesto de trabajo ideal.**

1. Simpático, hablador, alegre. b
2. Inteligente, trabajador, responsable. c
3. Tímido, muy sensible, solitario. d
4. Ordenado, amable, trabajador. d

a. Administrativo o contable.
b. Promotor o comercial.
c. Director
d. Secretario

Por tu carácter, ¿cuál es tu puesto de trabajo ideal? DIRECTORA!

Tu pareja ideal

3 **Rellena este test sobre la pareja ideal.**

*Pon una X en los adjetivos que prefieres (de 1 a 10 puntos). Tu pareja ideal tiene que ser una persona
con 50 puntos. Márcalos en esta tabla y explica cómo es tu pareja ideal.*

	1	2	3	4	5	6	7	8	9	10	
Aburrida										X	**Divertida**
Ahorradora										X	**Generosa**
Distante										X	**Familiar**
Estúpida										X	**Inteligente**
Fría										X	**Sensible**
Grosera										X	**Amable**
Mentirosa										X	**Sincera**
Tímida										X	**Extrovertida**
Tranquila							X				**Activa**
Vaga						X					**Trabajadora**

La pareja ideal según los españoles

4

Este es el resultado de una encuesta en España. ¿Los resultados son como los tuyos? ¿Tiene tu compañero los mismos resultados?

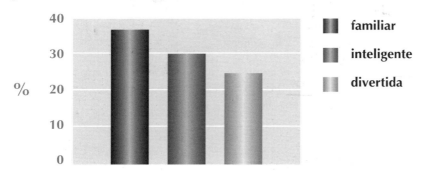

- familiar
- inteligente
- divertida

¿A quién te pareces?

Vb ELEGIR = scegliere

5

Lee estos textos, elige uno y di en qué te pareces a esta persona.

1. Soy bastante tímido y muy callado. No me gusta salir de casa. Me gusta leer y escuchar música, soy muy tranquilo, muy ordenado y bastante trabajador. *silenzioso*

2. Yo soy muy activo, muy deportista y muy hablador. Soy muy extrovertido y bastante simpático. Me gusta la gente, el deporte, salir de casa. Soy un poco nervioso y, la verdad, bastante desordenado.

En tu idioma

6

Escribe estos adjetivos en tu idioma.

1. amable — *AMABILE*
2. antipático/a — *ANTIPATICO*
3. complicado/a — *COMPLICATO*
4. estúpido/a — *STUPIDO*
5. extravertido/a — *ESTROVERSO*
6. frío/a — *FRIVOLO*
7. vago/a = perezoso *PIGRO*
8. inteligente — *INTELLIGENTE*
9. mentiroso/a — *BUGIARDO*
10. sencillo/a — *SEMPLICE ≠ SIMPLE*
11. sensible — *SENSIBILE*
12. simpático/a — *SIMPATICO*
13. sincero/a — *SINCERO*
14. tímido/a — *TIMIDO*
15. trabajador/-a — *LAVORATORE*
16. alegre — *ALLEGRO*

> *Este es mi primo, el hijo de mis tíos. Y estas son nuestras hijas.*

¿Es mi tía o nuestra tía?

1 **Presenta a esta familia.**

1. Los padres y el hijo: *él es nuestro hijo.* ....nuestros........
2. Los tíos y dos sobrinos: ..ellas son ~~~~ sobrinos....
3. El abuelo y las nietas: ..ellas son ~~~~ nietas (mis)...
4. La madre y dos hijas: ..ellas son ~~~~ mis hijas....
5. Las tías y un sobrino: ..el es ~~~~ ~~~~ nuestro sobrino...
6. La suegra y un yerno: ..el es mi yerno...............
7. La mujer y los suegros: ..ellas son mis suegros.......
8. La nieta y las abuelas: ..ellas son mis abuelas.......
9. Los sobrinos y la tía: ..ella es ~~~~ nuestra tía.....
10. Las sobrinas y los tíos: ..ellos son ~~~~ tíos....... nuestros

mi   mis
tú   tus
su   sus
nuestro/a   ~~estos~~
nuestro/a   ~~estos~~
su   sus
      vuestros/as
nuestros/as   nuestro sobrino

Adivina el parentesco

2 **Elige la opción correcta.**

1. Los padres de mis padres son *mis* / ~~sus~~ abuelos.
2. Mi hermana tiene un hijo y, por tanto, ~~mi~~ / *su* hijo es *mi* / ~~su~~ sobrino.
3. Mamá, este es mi hijo, ~~sus~~ / *tu* nieto.
4. Papá, mamá, os presento a Nuria, ~~mi~~ / *vuestra* novia.
5. Como sois mis primos, *mis* / ~~sus~~ padres son ~~nuestros~~ / *vuestros* tíos.

Mi familia es grande

3 **Completa con el posesivo adecuado.**

Mi familia es grande. ..MIS.. abuelos paternos tienen cinco hijos. ..MIS.. hijos también tienen muchos hijos. ..MI.. padre es el más pequeño, tiene 50 años. ..SU.. mujer, ..MI.. madre, tiene 52 años. Solo tiene un hermano. ..MI.. hermano tiene dos hijos, ..MIS.. primos. Nosotros somos cuatro hermanos, ..MI.. hermana Teresa, yo y ..MIS.. dos hermanos pequeños. Mi hermana está casada y ..SU.. marido se llama Antonio. Tienen tres hijos y ..SUS.. hijos se llaman como mis hermanos y yo.

¿Quién habla?

4 **Escucha, señala el dibujo que corresponde a cada diálogo y marca quién habla.**

③

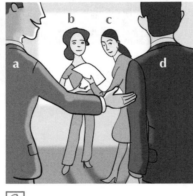

②

①

¿Y tú?

5 **Reacciona y da tu información.**

1. En mi país hay 40 millones de habitantes y en mi ciudad hay 5 millones.
2. Mi familia es muy pequeña, solo somos mis padres y mi hermana Aurora.
3. Mi compañero de clase es alto y rubio.

En tu idioma

6 **Traduce a tu lengua.**

1. Mis padres son de Barcelona.
2. ¿Cómo son tus hermanos?
3. Mis primos, María y Eduardo, son muy simpáticos.

Yo soy muy deportista. Me gusta el fútbol. Y a vosotros, ¿os gusta?

No, no nos gusta mucho. Nos gusta la música, leer, ir al cine... pero el fútbol no nos gusta.

ME
TE
LE
NOS � + GUSTA o
OS
LES ⎫ GUSTAN

¿Qué te gusta más?

1 Elige uno de cada.

Deporte:	Comida:	Música:	Ocio:
☐ fútbol	☒ italiana	☐ clásica	☐ cine
☒ golf	☐ china	☒ rock	☐ teatro
☐ tenis	☐ francesa	☐ pop	☒ concierto

Somos muy diferentes

2 Lee este texto y contesta a las preguntas.

PALLACANESTRO

¿verlos? ver=vedere

Mi mujer y yo somos muy diferentes. A ella le gusta el deporte: el fútbol y el baloncesto. Le gusta ver partidos en la televisión. Es del Real Madrid. En cambio, a mí no me gusta nada verlos en la tele. Me gusta el teatro y el cine. me gustan mucho las películas antiguas, en blanco y negro. A ella le gustan las canciones románticas y la música pop. A mí me gusta la música clásica y me gusta mucho la ópera. Pero a los dos nos gusta mucho leer. Nos gustan los libros de García Márquez y de Vargas Llosa.

1. ¿A quién le gustan los deportes? A SU MUJER
   ¿Qué deportes le gustan? EL FÚTBOL Y EL BALON CESTO
2. ¿Qué tipo de películas le gustan a él?
3. ¿Qué tipo de música le gusta a ella?
   ¿Y a él? LA MÚSICA CLÁSICA Y LA ÓPERA
4. ¿Qué les gusta hacer a los dos?
5. ¿Qué escritores les gustan?

2→ LE GUSTAN LAS PELÍCULAS ANTIGUAS, EN BLANCO Y NEGRO

3→ LE GUSTAN LAS CANCIONES ROMÁNTICAS Y LA MÚSICA POP

4→ A LOS DOS LES GUSTA MUCHO LEER

5→ A LOS DOS LES GUSTAN GARCÍA MÁRQUEZ Y VARGAS LLOSA

Mis gustos

3 Escribe un pequeño texto sobre tus gustos y los de un amigo. ¿Qué gustos son iguales y cuáles diferentes?

Verdadero o falso

18

4 Escucha y marca.

	V	F		V	F
1. Les gusta mucho el fútbol en televisión.	☐	☒	3. No les gusta la comida vegetariana.	☒	☐
2. Les gustan las películas de Almodóvar.	☒	☐	4. Les gusta mucho el arte abstracto.	☐	☒

¿Y tú?

5 Lee las frases y reacciona.

1. A mí no me gusta estudiar idiomas. ¿Y a ti? A MÍ SI, ME GUSTA MUCHO ESTUDIAR IDIOMAS
2. A los españoles les gusta mucho el fútbol. ¿Y en tu país? EN MI PAÍS TAMBIEN
3. En mi familia pasamos muchos domingos juntos, y me gusta mucho. ¿Y tú? A MÍ NO, NO ME GUSTA PASAR LOS DOMINGOS CON MI FAMILIA
4. ¿Te gusta España? SI, A MÍ ME GUSTA MUCHO

MÓDULO **2**

Señora Martínez, le presento al señor Gutiérrez, director comercial de mi empresa.

Mucho gusto.

Encantado.

o que Tiene ...

Preguntar por la identidad de alguien	¿Quién es el / este / ese / aquel de ......?	
Identificar	Es ...*MARÍA, MI HERMANA*...	
	Formal	**Informal**
Presentar a alguien	Sr./Sra. ...*ROSSI*..., le presento a ...*SC. BIANCHI*... .	Mira, te presento a ...*MERCEDES*... . Este es ...*MERCEDES*... .
Reaccionar	Mucho gusto / Encantado/a	

Señalar a alguien	**Distancia**	**Singular**	**Plural**
	Cerca	este / esta	estos / estas
	Media distancia	ese / esa	esos / esas
	Lejos	aquel / aquella	aquellos / aquellas

¿Cerca, lejos o muy lejos?

Elige la opción adecuada.

1. – *Este* / ~~Ese~~ / ~~Aquel~~ es Paco, un amigo.
   • Mucho gusto.

2. – ~~Esta~~ / ~~Esa~~ / *Aquella* es mi hermana.
   • ¿Quién, la morena?
   – No, no, la otra, la rubia.

3. – ¿Vicente es ~~este~~ / *ese* / ~~aquel~~ de ahí?
   • No, ese es Manuel. Vicente es aquel.

4. – Mira, *estas* / ~~esas~~ / ~~aquellas~~ son mis compañeras de trabajo, Ana y Elena.
   • Hola, ¿qué tal?

5. – ~~Estas~~ / *Esas* / *Aquellas* son mis jefas. ¿Te las presento?
   • Muy bien.   *"CAPE SULLNDRO*

6. – ¿Te presento a ~~estos~~ / ~~esos~~ / *aquellos* señores?
   • No, están muy lejos.

Presenta a estas personas

19

2 **Escucha y completa con los nombres.**

1. Le presenta a ...ANA........ a don ...JULIAN....., el director del banco.
2. Le presenta al Sr. ..GUTIERREZ. a MI HERMANO PEDRO
3. Presenta a ....LUCAS..... a su novia, ..TERESA..... .
4. Presenta a ..DOÑA ISABEL. a ...GERMÁN...., un compañero de trabajo.
5. Presenta a sus padres a su novio ..JESUS........ .

¡Encantado!

3 **Lee estos diálogos y elige la opción adecuada.**

1. – Ø / El señor Ramírez, le presento a Ø / la señora Ruiz.
   - Mucho gusto.
   - Encantado / Encantada.

2. – Ø / La doña Marta, este es Ø / el doctor Gil, mi médico.
   - Hola, mucho encantada / gusto.
   - Hola.

3. – Mira, Ø / la Ana, esta es Ø / la Elena.
   - Hola, ¿qué tal?
   - Hola / Encantada.

En tu idioma

4 **Traduce a tu lengua este diálogo.**

– Don Manuel, le presento al señor Díez, el director de mi empresa.
• Mucho gusto, señor Díez.
– Encantado.

Signor Manuel, le presento il signor Díez, il direttore della mia impresa
– Piacere di conoscerlo, signor Díez
– Piacere

Mucho gusto

20

5 **Escucha y reacciona.**

1. MUCHO GUSTO   3. YO SOY ALICE   5. ME LLAMO ALICE
2. ENCANTADA   4. SI, ESTE ES JESUS, UN 6. HOLA, ¿QUE TAL?
                          AMIGO

Le presento

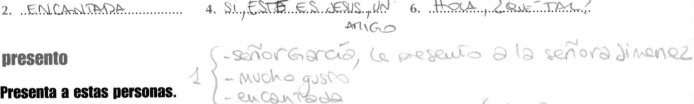

6 **Presenta a estas personas.**

1. El señor García y la señora Jiménez.
2. Doña María y don Paco.
3. José y Beatriz.
4. Miguel y tu hermana Matilde.

1 { – señor García, le presento a la señora Jiménez
– mucho gusto
– encantada

{ – Doña María, le presento a don Paco
– encantada
– mucho gusto

{ – Mira, José, te presento a Beatriz
– ¡Hola! ¿Qué tal?
– Hola

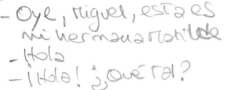

– Oye, Miguel, esta es mi hermana Matilde
– Hola
– ¡Hola! ¿Qué tal?

1

Escucha y marca lo que oyes.

1. ☒ Este es Tomás.   ☐ ¡Este es Tomás!   ☐ ¿Este es Tomás?
2. ☐ Tienes hijos.   ☐ ¡Tienes hijos!   ☒ ¿Tienes hijos?
3. ☐ No estás casado.   ☒ ¡No estás casado!   ☐ ¿No estás casado?
4. ☐ Vivís solos.   ☐ ¡Vivís solos!   ☒ ¿Vivís solos?
5. ☒ No tienen hermanos.   ☐ ¡No tienen hermanos!   ☐ ¿No tienen hermanos?

2

Ahora lee en voz alta estas frases. Después escucha y comprueba.

1. ¿Cómo te llamas?
2. ¡Tú eres Mauricio!
3. Me llamo Enrique.
4. ¡Hola!
5. ¿Hablas español?

3

Todas estas palabras tienen la sílaba fuerte en la penúltima sílaba. Escúchalas y marca la sílaba fuerte.

1. extrovertido
2. ustedes
3. sociable
4. hablan
5. comunicativo
6. sencillo
7. gracias
8. serio
9. vago
10. bajo
11. perezoso
12. amable

4

Estas palabras terminan en vocal, en -n o en -s, pero no tienen la sílaba fuerte en la penúltima sílaba. Escucha y escribe el acento y léelas en voz alta.

SÍLABA FUERTE		
Última	**Penúltima**	**Antepenúltima**
CORTES		ANTIPÁTICO
DIRECCION		CLÁSICO
BERLIN		MEDICO
MARROQUI		
JESUS		

1. cortés
2. antipático
3. dirección
4. Berlín
5. clásico
6. marroquí
7. médico
8. Jesús

Ficha 1 Léxico

Pista 14: El libro de familia

Hola, me llamo Ana. Mis padres son Óscar y Asunción. Mi abuelo paterno se llama José Ángel y mi abuela María Montserrat. Mis abuelos maternos son Demetrio y Natividad. Tengo una hermana pequeña. Se llama Elena.

Ficha 2 Léxico

Pista 15: ¿Cómo son?

Raúl es calvo. Tiene bigote, pero no tiene barba. Mateo tiene una barba morena. Lleva gafas. Maribel es castaña. Tiene el pelo largo y rizado.

Ficha 3 Léxico

Pista 16: Si no es simpático, es antipático

1. No es nada amable, es muy ..., 2. No es muy inteligente, es ..., 3. No es complicado, es ..., 4. No es nada simpático, es ..., 5. No dice la verdad, no es sincero, es ..., 6. No es nada tímido, es ..., 7. No hace nada, no es nada trabajador, es ..., 8. Es muy poco sensible, es ...

Ficha 4 Gramática

Pista 17: ¿Quién habla?

1. ¿Estos son tus hermanos, Miguel? 2. Señor Vázquez, le presento a mis compañeras de oficina, Asunción e Isabel. 3. Mira, estos son mis hijos, Irene y Carlos.

Ficha 5 Gramática

Pista 18: Verdadero o falso

1. • A mí no me gusta mucho ver el fútbol en la tele.
   – A mí sí, me gusta mucho. Soy del Real Madrid.
2. • Nosotros vamos mucho al cine. Nos gusta mucho.
   – A mí también. Me gustan las películas de Almodóvar.
3. • A Vicente no le gusta nada la comida vegetariana.
   – A nosotros tampoco. Nos gusta la comida tradicional.
4. • ¿Te gusta el arte abstracto? A mí no.
   – No, a mí tampoco.

Ficha 6 Funciones

Pista 19: Presenta a estas personas

1. Ana, mira, este es el director del banco, don Julián, 2. Señor Gutiérrez, le presento a mi hermano Pedro, 3. Hola, Lucas. Mira, esta es mi novia, Teresa, 4. Buenos días, doña Isabel. Mire, le presento a Germán, un compañero de trabajo, 5. Papá, mamá, os presento a mi novio, Jesús. Estos son mis padres, José y Begoña.

Pista 20: Mucho gusto

1. Te presento al señor Bermúdez, 2. Mucho gusto, 3. ¿Quién es usted?, 4. ¿Me presentas a tu compañero?, 5. ¿Cómo te llamas?, 6. Mira, te presento a Felipe.

Ficha 7 Fonética

Pista 21: Ejercicio 1

1. ☐ Este es Tomás, 2. ☐ ¿Tienes hijos?, 3. ☐ ¡No estás casado!, 4. ☐ ¿Vivís solos?, 5. ☐ No tienen hermanos.

Pista 22: Ejercicio 2

1. ¿Cómo te llamas?, 2. ¡Tú eres Mauricio!, 3. Me llamo Enrique, 4. ¡Hola!, 5. ¿Hablas español?

Pista 23: Ejercicio 3

1. extrovertido, 2. ustedes, 3. sociable, 4. hablan, 5. comunicativo, 6. sencillo, 7. gracias, 8. serio, 9. vago, 10. bajo, 11. perezoso, 12. amable.

Pista 24: Ejercicio 4

1. cortés, 2. antipático, 3. dirección, 4. Berlín, 5. clásico, 6. marroquí, 7. médico, 8. Jesús.

Vocabulario

Los alimentos: el aceite de oliva, la aceituna (oliva), el aguacate (palta), el ajo, la almeja, el arroz, el azafrán, la carne de vaca, la cebolla, el chile, la chuleta de cordero, la coliflor, el filete de ternera, la fruta, los frutos secos, la grasa, la gamba (camarón), el huevo, el jamón, la judía verde, la leche, la lechuga, el maíz, la manzana, el marisco, el mejillón, el melocotón (durazno), la merluza, la naranja, la patata (papa), el pescado, la pimienta, el pimentón, el pimiento, el plátano (banana), el pollo, el queso, la sal, la salsa, la sardina, el tomate, la uva, la verdura, el yogur, el zumo (jugo), etc.

[anotación manuscrita: Mongola]
[anotación manuscrita: Paprica]
[anotación manuscrita: Pepe]

Los números: uno, dos, tres, cuatro, cinco, seis, siete, ocho, nueve, diez, once, doce, trece, catorce, quince, dieciséis, diecisiete, dieciocho, diecinueve, veinte, veintiuno, veintidós, veintitrés, veinticuatro, veinticinco, veintiséis, veintisiete, veintiocho, veintinueve, treinta, treinta y uno, (...) cuarenta, cincuenta, sesenta, setenta, ochenta, noventa, cien, ciento uno (...) doscientos, trescientos, cuatrocientos, quinientos, seiscientos, setecientos, ochocientos, novecientos, mil, etc.

Gramática

Los verbos GUSTAR y PARECER con pronombres				
A mí	me			el...
A ti	te			la...
A él, ella, usted	le	gusta (n)	mucho bastante un poco nada*	comer pescado
A nosotros/as	nos			los...
A vosotros/as	os			las...
A ellos, ellas, ustedes	les			

* a mí no me gusta nada el pescado.

A mí	me		
A ti	te		bueno (s)
A él, ella, usted	le	parece (n)	malo (s)
A nosotros/as	nos		interesante (s)
A vosotros/as	os		sano (s)
A ellos, ellas, ustedes	les		

Los artículos	Artículos definidos		Artículos indefinidos	
	Masculino	**Femenino**	**Masculino**	**Femenino**
Singular	el	la	un	una
Plural	los	las	unos	unas

Usos de los artículos

Los sustantivos, en general, siempre van con un artículo. Los sustantivos terminados en *-o* son normalmente masculinos y los terminados en *-a* femeninos. Se utiliza el artículo indefinido cuando hablamos por primera vez de algo y el artículo definido cuando ya es conocido.

Funciones

Manejarse en un restaurante: Para mí..., De primero..., De segundo..., De postre..., Para beber...,
¿Qué es...?, ¿Qué es esto?, Es un plato de... (carne, pescado...),
¿Qué lleva?, Lleva (carne, pescado, verduras...),
¿Cuánto es?, La cuenta, por favor.

A ver: tomates, cebollas, ajos, judías verdes, lechugas…

 ¿Cómo se dice?

1 Escucha las palabras y escribe la que corresponde debajo de cada foto.

1. LA COLIFLOR 2. EL CORDERO (CHULETA DE CORDERO) 3. LAS GAMBAS 4. EL JAMÓN 5. LA LECHUGA

6. LA MANZANA 7. EL MELOCOTÓN 8. EL PESCADO LA MERLUZA LA SARDINA 9. LOS PIMIENTOS 10. LA NARANJA

11. EL PLÁTANO 12. LA CARNE DE TERNERA /DE VACA FILETE 13. EL TOMATE 14. EL POLLO 15. ESPÁRRAGOS WS

¿Dentro o fuera?

2 ¿Cuáles de estas cosas pones en el frigorífico y cuáles no?

En el frigorífico	Fuera del frigorífico

En tu idioma

3 ¿Cómo se dice en tu idioma?

1. desayunar
2. comer
3. cenar
4. aceite *OLIO*
5. arroz *RISO*
6. leche
7. pescado

8. azúcar *ZU CCHER*
9. legumbres
10. frutos secos
11. queso
12. pan
13. mantequilla *BURRO*
14. carne

¿Qué comes tú?

CARNE CON VERDURAS A LA CENA

4 Escucha y responde. Anota tus respuestas.

1. *YO DESAYUNO CAFÉ Y GALLETAS*
2. *YO COMO PASTA O BOCADILLO A LA COMIDA Y*
3. *YO COMO BASTANTE CARNE*
4. *NO, COMO PESCADO ALGUNAS VECES*

5. *SI, YO COMO MUCHAS VERDURAS Y FRUTAS*
6. *SI, COMO FRUTOS, PAN, PASTA Y ARROZ*
7. *SI, YO BEBO DOS LITROS DE AGUA AL DIA*
8. *NO, NO COMO CASI NUNCA GRASAS*

VEDIAMO
¿ A ver?

5 Compara tus resultados con los de tu compañero.

La pirámide de los alimentos

6 Lee las recomendaciones para una dieta equilibrada y compara con tus resultados. ¿Tienes una dieta sana? ¿Y tu compañero?

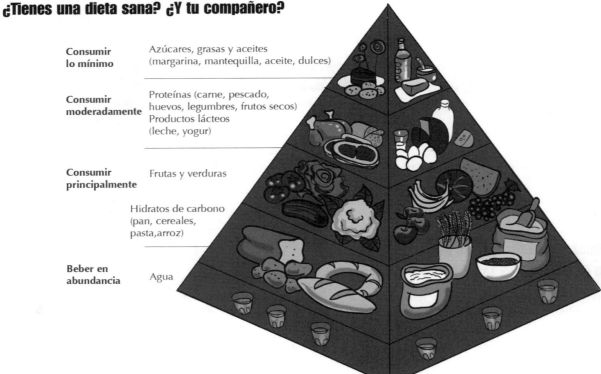

Consumir lo mínimo — Azúcares, grasas y aceites (margarina, mantequilla, aceite, dulces)

Consumir moderadamente — Proteínas (carne, pescado, huevos, legumbres, frutos secos) Productos lácteos (leche, yogur)

Consumir principalmente — Frutas y verduras

Hidratos de carbono (pan, cereales, pasta, arroz)

Beber en abundancia — Agua

¿Sabes cuál es el origen de las tapas?

1 Lee estos textos, ¿qué hipótesis crees que es la más verdadera?

Siglo XIII

El Rey Alfonso X El Sabio está enfermo y come sólo pequeñas porciones de comida, con un poco de vino. Cuando el rey se cura, ordena servir siempre el vino en los mesones con pequeñas porciones de alimentos.

1. ☐

Siglo XIII

El Rey Alfonso X El Sabio, de viaje por Cádiz, entra en un mesón y pide una copa de jerez. Hay viento y la arena entra en el mesón. El mesonero pone una loncha de jamón encima de la copa del Rey para "tapar" el vino. Al rey le gusta la idea y ordena servir el vino en los mesones con pequeñas porciones de alimentos.

LOCANDA

2. ☒

¿Qué tapas son?

2 Lee esta lista de tapas. Después escucha y marca a qué número corresponde cada descripción.

- 4 Ensaladilla rusa
- 2 Queso manchego *della Mancha*
- 1 Calamares fritos
- 5 Patatas bravas
- 3 Fritura de pescado
- 6 Tortilla

Ocho tapas

3 En esta sopa de letras están escondidas 8 tapas:

M	A	L	B	O	N	D	I	G	A	S	C	A
C	A	A	O	P	U	Q	U	A	S	H	C	C
G	A	M	N	I	O	Q	U	E	S	O	P	A
A	T	O	J	A	C	E	I	T	U	N	A	S
M	O	N	A	N	S	A	S	T	S	D	T	P
B	B	I	M	E	A	D	I	T	E	E	A	A
A	I	T	O	R	T	I	L	L	A	U	T	S
S	F	R	N	J	D	I	A	S	I	A	A	Ñ
G	U	S	T	O	N	A	Y	I	T	C	S	O
C	A	L	A	M	A	R	E	S	A	E	C	E

.....ALBAS
ACEITUNAN
TORTILLA
CALAMARES
QUESO
SOPA
JAMON
PATATAS

… cuarenta y ocho, veinticinco, dieciséis…

¡BINGO!

 28

Bingo

1

Escucha los números del bingo. ¿Cuál de estas tarjetas tiene una línea?

¿Cuál un bingo?

1.

12		17	25		35
38		43		49	
	55	58		61	
66			71	73	76
80		84		97	

2.

	15			33	35
	40	43			52
53		58	60		63
66	69	70			76
	82		95	97	100

3.

12			25	33	
38			47		52
53	55			61	63
		70	71	73	
80		84	95		100

BINGO

Nota cultural: Se tiene una línea cuando salen todos los números que aparecen en una misma línea. Se tiene Bingo cuando salen todos los números que aparecen en la tarjeta.

Tarjeta premiada

2

Ahora escribe en letras los números de la tarjeta premiada.

DOCE			VEINTICINCO	TREINTA Y TRES	
TREINTA Y OCHO			CUARENTA Y SIETE		CINCUENTA Y DOS
CINCUENTA Y TRES	CINCUENTA Y CINCO			SESENTA Y UNO	SESENTA Y TRES
	SETENTA	SETENTA Y UNO	SETENTA Y TRES		
OCHENTA		OCHENTA Y CUATRO	NOVENTA Y CINCO		CIEN

En voz alta

3

Lee en voz alta estos números.

1	10	23	72	18	70
3	44	27	20	12	83
5	30	13	36	35	90
7	4	40	56	63	60
9	6	50	88	80	77
2	8	24	17	34	98

Origen-destino

4 **Mira esta lista de vuelos. Escucha las preguntas y responde.**

ORIGEN-DESTINO	Precio
Madrid - Barcelona	16 €
Barcelona - Madrid	16 €
Madrid - Málaga	16 €
Madrid - Roma	35 €
Barcelona - Sevilla	9 €
Madrid - Ibiza	22 €
Barcelona - Palma de Mallorca	22 €
Barcelona - Bilbao	16 €
Madrid - Londres	25 €
Barcelona - París	17 €

1. CUESTA VEINTICINCO EUROS
2. CUESTA DIECISIETE EUROS
3. CUESTA VEINTIDOS EUROS
4. CUESTA TREINTA Y CINCO EUROS
5. DIECISEIS EUROS
6. VEINTIDOS EUROS
7. DIECISEIS EUROS
8. DIECISEIS EUROS

Con cheque

5 **Completa estos cheques: escribe los números.**

1. 325: TRESCIENTOS VEINTICINCO
2. 527: QUINIENTOS VEINTISIETE
3. 412: CUATROCIENTOS DOCE
4. 254: DOSCIENTOS CINCUENTA Y CUATRO
5. 838: OCHOCIENTOS TREINTA Y OCHO
6. 793: SETECIENTOS NOVENTA Y TRES
7. 674: SEISCIENTOS SETENTA Y CUATRO
8. 122: CIENTO VEINTIDOS

En tu idioma

6 **¿Cómo se dicen en tu lengua estos números? Escríbelos en español y en tu lengua:**

1. 12 DOCE
2. 13 TRECE
3. 14 CATORCE
4. 15 QUINCE
5. 16 DIECISEIS
6. 17 DIECISIETE
7. 18 DIECIOCHO
8. 19 DIECINUEVE
9. 10 DIEZ
10. 20 VEINTE
11. 30 TREINTA
12. 40 CUARENTA
13. 50 CINCUENTA
14. 60 SESENTA
15. 70 SETENTA
16. 80 OCHENTA
17. 90 NOVENTA
18. 100 CIEN
19. 200 DOSCIENTOS
20. 300 TRESCIENTOS
21. 400 CUATROCIENTOS
22. 500 QUINIENTOS
23. 600 SEISCIENTOS
24. 700 SETECIENTOS
25. 800 OCHOCIENTOS
26. 900 NOVECIENTOS
27. 1000 MIL

Los tomates, ¿maduros o para ensalada?

Unos tomates y unas cebollas, por favor.

¿Masculino o femenino?

1

Escribe estas palabras en la columna correspondiente.

~~OLIVA~~

aceituna, cebolla chuleta, fruta, gamba, huevo, judías verdes, lechuga, manzana, marisco, naranja, patata, pescado, pimiento, plátano, pollo, queso, sardina, uvas, zumo.

Masculino	Femenino
HUEVO -MARISCO	ACEITUNA
PESCADO	CEBOLLA CHULETA
PIMIENTO	FRUTA - LECHUGA
POLLO	GAMBA -MANZANA
QUESO	JUDÍAS VERDES
ZUMO	NARANJA -PATATA
PLÁTANO	~~PLÁTANO~~ - SARDINA
	UVAS

El artículo

2

Ahora coloca estas palabras y escribe el artículo.

~~AVOCADO~~

aceite, aguacate, arroz, carne, chile, coliflor, filete, jamón, maíz, mejillón, pimentón, sal, tomate, yogur.

PAPRIKA

Masculino	Femenino
EL ACEITE	LA CARNE
EL AGUACATE	LA COLIFLOR
EL ARROZ	~~LA MEJILLON~~
EL CHILE	LA SAL
EL FILETE	
EL JAMÓN	
EL MAÍZ	
EL PIMENTÓN	
EL MEJILLON	

En tu idioma

3

¿Cómo se dicen estas palabras en tu lengua? ¿Son masculinas o femeninas?

1. naranja ...ARANCIA.♀...
2. manzana ...MELA...♀
3. filete ...FILETTO...♂
4. jamón ...PROSCIUTTO.♂

5. huevo ...UOVO...♂
6. patata ...PATATA...♀
7. cebolla ...CIPOLLA...♀

8. sal ...SALE..♂
9. tomate ...POMODORO..♂
10. yogur ...YOGURT..♂

¿Cómo es en español?

4

De las palabras anteriores, coloca las que tienen diferente género a las de tu lengua en estos dos círculos, con su artículo correspondiente.

Femeninas — LA SAL

Masculinas — IL SALE

5 El artículo correspondiente

Escucha las palabras y repítelas con el artículo correspondiente.

LA ACEITUNA   LA FRUTA
EL AJO   LA GRASA
LA CEBOLLA   LA GAMBA   LAS JUDÍAS VERDES
LA CHULETA   EL HUEVO   LA LECHUGA
LA MANZANA

EL MARISCO   LA PATATA   EL PIMIENTO
LA MERLUZA   EL PESCADO   EL PLÁTANO
LA NARANJA   LA PIMIENTA   EL POLLO
EL QUESO
LA SALSA
LA SARDINA
LAS UVAS
LA VERDURA
EL ZUMO

¿El o un?

6 En una tienda de barrio. Escribe los artículos.

- Hola, buenos días. ¿Tienen verduras y frutas?
- Sí, tenemos tomates, patatas, limones, naranjas, pimientos...
- ¿Cuánto cuestan?
- LOS tomates, 2,06 euros el kilo, LAS patatas, 0,80 céntimos, LOS limones, 1,30 y LOS pimientos, 2,15. LAS naranjas cuestan 1,30 euros el kilo.
- ¿Y tienen leche?
- Sí.
- ¿Y huevos, y mantequilla?
- Sí, y mermelada, café, cacao. Tenemos un poco de todo.
- ¿Cuánto cuestan LOS huevos, LA mantequilla y LA leche?
- LOS huevos, un euro, LA mantequilla, 1,70 y LA leche, 0,80 céntimos.
- ¿Y EL café?
- 1,5 euros. Pero, oiga, ¿qué desea?
- Pues de todo, no tengo nada en casa. Necesito café, leche, aceite, mantequilla, pasta, verduras... ¡de todo! Y solo tengo 20 euros.

En un bar

7 Estas son las tapas que hay en un bar. Identifícalas.

1. ESPÁRRAGOS 2. GAMBAS GAMBITAS   3. ACEITUNAS ACEITUNITAS   4. QUESITOS

Pide las tapas:
a. Unas gambas, por favor.
b. UNAS ACEITUNAS, POR FAVOR
c. UNOS QUESITOS
d. UNOS ESPÁRRAGOS
e. UNOS CALAMARITOS
f. UNAS ALMEJAS

5. CALAMARES   6. ALMEJAS

Completa: el camarero prepara las tapas y dice:

1. ¿Para quién son LAS gambas?
2. Señor, ¿LAS aceitunas son para usted?
3. ¿LAS patatas bravas?
4. ¿Para quién son LOS espárragos?
5. ¿Y LOS calamares?
6. Señora, ¿LOS mejillones son para usted?

> ¿Qué te gusta más, la carne o el pescado?

> Ni la carne ni el pescado, soy vegetariano.

¿Te gusta, sí o no?

1

Escucha y responde.

Ej.: ¿Las patatas?
Tú: "*Me gustan*", o: "*No me gustan*".

¿Te gusta mucho o no te gusta nada?

2

Escucha otra vez y escribe una respuesta más completa.

Ej.: ¿Las patatas?
Tú: "*Me gustan mucho / muchísimo / bastante,* etc." o "*No me gustan nada*".

1. ....
2. ....
3. ....
4. ....
5. ....
6. ....
7. ....
8. ....
9. ....
10. ....

¿Y a ti?

3

Relaciona y completa las frases.

1. _A TI_ te gusta la paella.
2. _A Juan_ le gusta la comida vegetariana.
3. _A nosotros_ nos gustan mucho las legumbres.
4. ¿_A vosotros_ os gusta el pescado?
5. _A mí_ no me gusta nada el marisco.
6. ¿_A ustedes_ no les gusta la carne?
7. No, _A mí_ no me gusta la coliflor.
8. _A ti_ te gusta mucho la tortilla, ¿no?
9. ¿Y _A vosotros_ qué os gusta?
10. _A nosotros_ nos gusta todo.

a. a nosotros
b. a ti
c. a vosotros
d. a nosotros
e. a Juan
f. a mí
g. a vosotros
h. a ustedes
i. a mí
j. a ti

¡Qué difícil es!

4 **Lee y completa.**

Es difícil preparar la comida en mi familia: a mi madre no _le_ gusta la carne y a mi padre no _le_ gusta el pescado. A mí no _me_ gustan ni la carne ni el pescado, porque soy vegetariano. Y a mi hermana Isabel no _le_ gusta el pescado, bueno a ella y a mí _nos_ gustan muchísimo las verduras, pero a mi padre no _le_ gustan las legumbres. Y mi madre siempre nos dice: "Pero bueno, ¿a vosotros qué _os_ gusta? ¡Es imposible organizar la comida en nuestra casa! A tu padre, a ti y a Isabel no _os_ gusta el pescado, a ti y a mí no _nos_ gusta la carne. Y a mí, a mí no _me_ gusta esta situación".

Me parece muy buena

5 **Relaciona y después escribe las frases.**

1. La paella me gusta mucho,
2. No me gusta el chorizo,
3. Me gustan las películas de Woody Allen,
4. Me gusta la comida vegetariana,
5. Me gusta la música clásica,
6. No me gusta el chile,
7. Me gusta muchísimo la comida india,
8. Me gusta el Museo Guggenheim de Bilbao,
9. Me gustan muchísimo los Beatles,
10. Me gustan los viajes,

me parece
me parecen
no me parece
no me parecen

interesantes.
muy buena.
muy sano.
muy graciosas / divertidas.
muy sana.
muy bonita.
muy fuerte.
deliciosa.
precioso.
fantásticos.

1. PAELLA - DELICIOSA
2. CHORIZO - MUY SANO (NO)
3. PELICULAS - MUY GRACIOSAS / DIVERTIDAS
4. COMIDA VEGETARIANA - MUY SANA
5. MUSICA CLASICA - MUY BONITA
6. CHILE - MUY FUERTE
7. COMIDA INDIA - MUY BUENA
8. MUSEO - PRECIOSO
9. BEATLES - FANTASTICOS
10. VIAJES - INTERESANTES

Y a ti, ¿qué te parece?

6 **Escucha y responde.**

- Ej: *¿Te gusta el rap?*
- *Sí, (mucho) me parece fantástico. / No, no me gusta (nada), me parece horrible.*

Compara

7 **Escucha otra vez y anota tus respuestas. Después pregunta a tu compañero y compara los resultados.**

PARECEN DELICIOSAS   IDIOMA MUY INTERESAN

1. SI, ME GUSTAN MUCHO LAS ACEITUNAS, ME
2. NO, EL FUTBOL ME PARECE HORRIBLE
3. SI, LAS PATATAS ME PARECEN MUY BUENAS
4. SI, BRAD PITT ME GUSTA MUCHO, ME
   PARECE MUY GUAPO
5. SI, ME GUSTA EL ESPAÑOL, ME PARECE UN
6. SI, LAS VERDURAS ME PARECEN MUY SANAS
7. SI, ME GUSTA BASTANTE UDOS, ME PARECE
   (U2) MUY BONITO

41

> Hoy tenemos pimientos del piquillo, sopa de verduras y patatas con carne de primero. De segundo…

Comer a la carta

1

Lee estas cartas y elige una comida de cada una. Después escribe cómo las pides al camarero:

RESTAURANTE MARTÍN
Menú

1.º
Crema de verduras
Macarrones
✗ Paella

2.º
Ensalada
Salmón
✗ Pollo asado

Pan, postre o café

CASA ALICIA
Menú

1.º
Coliflor
Lentejas
✗ Sopa

2.º
Filete
✗ Pescado en salsa
Chuletas

Pan, postre o café

1. OYGA POR FAVOR ....
2. ....
3. ....

1. ....
2. ....
3. ....

Tú y tu compañero

2

Compara tus comidas con las de tu compañero.

Pedir en un restaurante

3

Completa:

Camarera: De primero tenemos judías verdes, canelones o pisto.
Cliente: ¿Pisto? ¿ QUÉ ES ESTO ?
Camarera: Es un plato de verduras fritas con salsa de tomate.
Cliente: Los canelones, ¿ CON QUÉ ? QUÉ LLEVA
Camarera: Atún. Y de segundo tenemos tortilla de la casa...
Cliente: ¿ QUÉ LLEVA ... la tortilla de la casa?
Camarera: Patatas, pimiento rojo, espárragos y guisantes... De segundo, tortilla de la casa, chuletas de cordero o bacalao al pil pil.
Cliente: ¿Bacalao al pil pil? ¿ QUÉ ES ESTO ?
Camarera: Es bacalao con una salsa blanca de ajo y aceite.

42

¿Quién lo dice?

4 **Pon las frases en la columna correspondiente. Después ordena el diálogo.**

1. Un café cortado, por favor.
2. ¿De primero?
3. Agua, por favor.
4. Menestra de verduras.
5. La cuenta, por favor.
6. ¿Y de segundo?
7. ¿Y para beber?
8. Tortilla de espárragos.
9. De postre tenemos flan, fruta o café.

Camarero	Cliente

Elige y pide el menú

5 **¿Qué te gusta del menú del ejercicio 4?**

¿Qué van a tomar?

6 **Completa:**

Camarero: ¿Qué toman los señores?
Cliente 1: Para mí, ...POR FAVOR........................., alcachofas.
Cliente 2: Y ......PARA MI........ sopa de verduras.
Camarero: Muy bien. ¿Y ...DE SEGUNDO...............?
Cliente 1: ...PARA MI............................, carne asada.
Cliente 2: Y ......PARA MI..........................., calamares.
Camarero: ¿...Y PARA BEBER...............?
Cliente 1: ¿Pedimos agua?
Cliente 2: Sí, una botella grande de agua.
[...]
Cliente 2: ¿Qué tienen ...DE POSTRE.........?
Camarero: Fruta del tiempo, yogur y arroz con leche.
Cliente 1: Pues ...., yogur.
Cliente 2: ...., un café con leche.

33 **Te toca**

7 **Escucha y responde al camarero.**

MÓDULO 3 **Fonética y ortografía** **Ficha 7** Acento tónico y acento gráfico.
Las letras ce, zeta y cu y los sonidos /k/ y /θ/

/k/ *(ca, co, cu, que, qui)* y /θ/ *(z, ce, ci)*

1 Divide las siguientes palabras en sílabas:

amable, melocotón, inteligente, salsa, sincera, tímido, dátil, sensible, camarón, difícil, huevo, jamón, leche, manzana, fácil, mejillón, simpática, naranja, durazno, vaga, pollo, antipático, queso, tomate, uva.

34

2 Escucha estas palabras, escríbelas en la columna correspondiente y pon el acento si es necesario. Después, léelas en voz alta.

___ ___ ___	___ ___ ___

3 Lee estas palabras en voz alta y clasifícalas en la tabla.

canto, Cecilia, quien, zapato, comer, cielo, cubo, zafiro, queso, zurda, cuento, cisco, capote, cerveza, costa, zorro, Carlos, costumbre, Zaragoza, cerebro.

Sonido /K/	Sonido /θ/
Canto	*Cecilia*

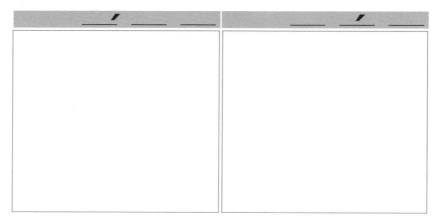

35

4 Escucha y escribe.

1. .... 4. .... 7. .... 10. .... 13. .... 16. ....
2. .... 5. .... 8. .... 11. .... 14. .... 17. ....
3. .... 6. .... 9. .... 12. .... 15. .... 18. ....

Ficha 1   Léxico

Pista 25: ¿Cómo se dice?

Chuletas de cordero, coliflor, jamón, lechuga, manzana, filete de ternera, naranja, melocotón, gamba, pimiento, plátano, pollo, tomate, sardina, espárragos.

Pista 26: ¿Qué comes tú?

1. ¿Qué desayunas?, 2. ¿Qué comes y qué cenas?, 3. ¿Comes mucha carne?, 4. ¿Comes mucho pescado?, 5. ¿Y verdura y frutas?, 6. ¿Comes mucho pan, pasta y arroz?, 7. ¿Bebes mucha agua?, 8. ¿Comes mucha grasa?

Ficha 2   Léxico

Pista 27: ¿Qué tapas son?

1. Son calamares fritos en aceite de oliva, con rodajas de limón.
2. Este queso de oveja típico de La Mancha se sirve con trozos de pan.
3. Se trata de distintos tipos de pescado fritos en aceite de oliva.
4. Son patatas con atún, gambas, zanahorias, guisantes, huevos y mayonesa.
5. Se trata de patatas fritas picantes cubiertas por una salsa de tomate.
6. Se hace con patatas, huevos y, a veces, cebolla.

Ficha 3   Léxico

Pista 28: Bingo

100, 58, 71, 61, 82, 12, 33, 95, 69, 70, 52, 97, 25, 38, 43, 84, 63, 47, 55, 49, 53, 76, 73, 66, 80, 60.

Pista 29 : Origen-destino

1. ¿Cuánto cuesta un billete de Madrid a Londres?, 2. ¿Y de Barcelona a París?, 3. ¿Y de Barcelona a Palma de Mallorca?, 4. ¿De Madrid a Roma?, 5. ¿De Madrid a Barcelona?, 6. ¿Y de Madrid a Ibiza?, 7. ¿De Barcelona a Madrid?, 8. ¿De Barcelona a Bilbao?

Ficha 4   Gramática

Pista 30: El artículo correspondiente

aceituna, ajo, cebolla, chuleta, fruta, grasa, gamba, huevo, judías verdes, lechuga, manzana, marisco, merluza, naranja, patata, pescado, pimienta, pimiento, plátano, pollo, queso, salsa, sardina, uvas, verdura, zumo.

Ficha 5   Gramática

Pista 31 : ¿Te gusta, sí o no?

1. ¿El café?, 2. ¿La carne?, 3. ¿Las aceitunas?, 4. ¿La fruta?, 5. ¿La pasta?, 6. ¿Los frutos secos?, 7. ¿Las uvas?, 8. ¿El queso?, 9. ¿El pollo?, 10. ¿La verdura?

Pista 32 : A ti ¿qué te parece?

1. ¿Te gustan las aceitunas?, 2. ¿Te gusta el fútbol?, 3. ¿Te gustan las patatas?, 4. ¿Te gusta Brad Pitt?, 5. ¿Te gusta el español?, 6. ¿Te gustan las verduras?, 7. ¿Te gusta U2?

Ficha 6   Funciones

Pista 33: Te toca

De primero, tenemos espaguetis, ensalada o lentejas y de segundo, tortilla de la casa, calamares o filete.
¿Y para beber?

Ficha 7   Fonética

Pista 34: Ejercicio 2

animal, sofá, mesa, fuego, montón, lápiz, arroz, nieve, dólar, canal, camión, fácil, linterna, comer, volar, difícil, Carmen, además, coche, Madrid.

Pista 35: Ejercicio 4

zarza, coche, quitar, cuesta, Zamora, cilindro, cima, cama, quizá, cesto, zumo, zona, cemento, quedar, zoo, quemar, cuestión, Quito.

MÓDULO 4

Vocabulario

La ciudad: los habitantes, el barrio, el edificio, la avenida, la plaza, la calle, la fuente, la escultura, la población, el local, la librería, el quiosco, el teatro, el cine, la galería de arte, la vida cultural, el centro de la ciudad, el puerto, el banco, las oficinas, los ministerios, el museo, la iglesia, el hospital, la estación de metro, la parada de autobús, el parque, los jardines, la farmacia, el supermercado, la óptica, el colegio, el restaurante, el bar, el polideportivo, la piscina, el centro cultural, el cajero automático.

Las direcciones en una ciudad: a la derecha, a la izquierda, todo recto, cerca, lejos, a x kilómetros, a x minutos.

Gramática

La diferencia entre hay/está/están	
Hay + un, una, unos, unas, muchos, muchas **+ sustantivo**	*Hay una biblioteca cerca de la universidad.* *En Madrid hay muchos museos.* *En Sevilla hay iglesias.*
El, la **+ está**	*El Museo de las Artes y las Ciencias está en Valencia.*
Los, las **+ están**	*Las zonas comerciales están lejos de la ciudad.*

La conjugación de los verbos irregulares ir, seguir y hacer:

Verbos irregulares		
IR	**SEGUIR**	**HACER**
Voy	Sigo	Hago
Vas	Sigues	Haces
Va	Sigue	Hace
Vamos	Seguimos	Hacemos
Vais	Seguís	Hacéis
Van	Siguen	Hacen

Los medios de transporte		
Ir	**en**	coche tren metro avión etc.
	a	pie caballo

La contracción del artículo	
a + el = **al**	de + el = **del**

Los números ordinales			
1.º/1.ª	Primero/a	6.º/6.ª	Sexto/a
2.º/2.ª	Segundo/a	7.º/7.ª	Séptimo/a
3.º/3.ª	Tercero/a	8.º/8.ª	Octavo/a
4.º/4.ª	Cuarto/a	9.º/9.ª	Noveno/a
5.º/5.ª	Quinto/a	10.º/10.ª	Décimo/a

Nota: *primero* y *tercero* + sustantivo masculino = *primer* y *tercer*.
Ej: tercera planta / tercer piso

Estamos en la Plaza Mayor de la ciudad.

¡Qué grande es!

Adivina

1

A partir de la definición, di en qué lugar estamos.

Es un lugar donde podemos...

1. ver cuadros: *estamos in un museo*
2. comprar el periódico: *estamos in un kiosco QUIOSCO*
3. pasear: *CALLE*
4. comprar libros: *LIBRERÍA*

5. comprar medicinas: *FARMACIA*
6. tomar el autobús: *PARADA DE AUTOBÚS*
7. comer: *RESTAURANTE*
8. comprar comida: *SUPERMERCADO*

En la ciudad

2

Clasifica las siguientes palabras en la columna adecuada.

1. autobús
2. quiosco
3. tren
4. café
5. restaurante
6. monumentos
7. supermercado
8. tienda de moda
9. jardín botánico
10. panadería
11. parque
12. teatro
13. metro
14. bar
15. museo

Lugares para comprar	Medios de transporte	Lugares para visitar o pasear	Lugares para comer, beber y de ocio
QUIOSCO SUPERMERCADO TIENDA DE MODA	AUTOBÚS TREN ~~PARQUE~~ METRO	MONUMENTOS JARDÍN BOTÁNICO TEATRO? MUSEO PARQUE	CAFÉ RESTAURANTE PANADERÍA TEATRO? BAR

 36

¿Dónde están?

3

Observa las imágenes, escucha las conversaciones y di a qué diálogo corresponden.

1. Diálogo *4*

2. Diálogo *3*

3. Diálogo *2*

4. Diálogo *1*

 47

¿Qué hacen?

Alberto y Clara vean una película al cine
Yo compro la comida al supermercado
Mi amiga y yo "chateamos" al internet café
Mis hermanos jugan a fútbol

4   **Relaciona las palabras de las columnas.**

1. Alberto y Clara	visitar	fútbol	restaurante
2. Yo	"chatear"	comida	
3. Mi amiga y yo	jugar (a)	película	cine
4. Mis hermanos	ver	parque (PARC)	supermercado
5. Vosotros	comprar	museo	
6. Clara y Estrella	comer	Internet	café

Vosotros visitais el museo
Clara y Estrella comen al parque nel restaurante

Formar frases

5   **Escribe las frases anteriores con el verbo en la persona adecuada y lee las frases en voz alta. Cuidado con las preposiciones.**

1. ....
2. ....
3. ....
4. ....
5. ....
6. ....

En tu idioma

6   **¿Cómo se dice en tu idioma?**

1. calle
2. avenida
3. parada de autobús
4. estación de metro
5. supermercado
6. tienda de ropa
7. quiosco
8. estanco *Tabacchi*
9. museo
10. biblioteca
11. banco
12. plaza
13. farmacia
14. cine
15. correos *POSTE*
16. fuente
17. parque
18. monumento

Los contrarios

7   **Relaciónalos:**

1. A la derecha (de)
2. Cerca (de)
3. Enfrente (de)

   a. Lejos (de)
   b. Detrás (de)
   c. A la izquierda (de)

Verdadero o falso

8

Observa el plano y di si es verdadero o falso.

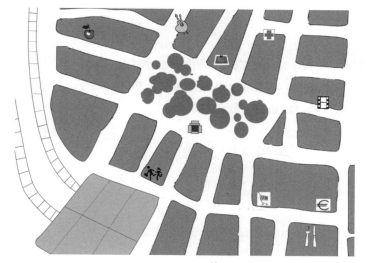

		V	F
1.	La estación está enfrente del parque.	☐	☒
2.	El banco está lejos de la farmacia y enfrente del restaurante.	☒	☐
3.	La piscina municipal está cerca del parque.	☒	☐
4.	La estación de tren está al final de la calle.	☒	☐
5.	El restaurante está al lado del parque.	☐	☒
6.	El colegio está detrás de la farmacia.	☐	☒
7.	El supermercado está a la izquierda del banco.	☒	☐
8.	El quiosco está en la plaza.	☒	☐

Salamanca

9

Lee el siguiente texto sobre una ciudad española.

Salamanca es una ciudad Patrimonio de la Humanidad. En el centro está la Plaza Mayor. Allí está el ayuntamiento. Hay muchos restaurantes y cafés y muchas tiendas. Muy cerca está la Casa de las Conchas, un palacio renacentista muy interesante. Un poco más lejos está la universidad. En Salamanca hay dos catedrales, la vieja y la nueva. Las dos están muy cerca de la Universidad. Hay muchos monumentos bonitos. Y, por supuesto, está el río Tormes con su puente romano.

por supuesto = certo
supuesto = ipotesi, presunto
(nome)   (adj)

En tu ciudad

10

Explica dónde están estos edificios en tu ciudad.

1. Correos
2. El museo de la ciudad
3. El ayuntamiento
4. La plaza principal
5. El polideportivo municipal
6. La estación de autobuses

está donde está la catedral, al lado del hospital
está en el barrio CEP
está en Plaza S. Antonio, cerca de la estación de tren
No hay museo en la mi ciudad
está en la plaza del reloj, al final de la calle corso Italia
orologio

49

¿Dónde está?

1 En este edificio hay diferentes establecimientos profesionales. Observa el icono y completa el cuadro
con el nombre de cada establecimiento.

— Oficina de turismo de Egipto
— Consultoría Burguete
— Centro de peluquería y estética Mariluz
— Clínica Sanident
— Lince Visión Ópticos
— Academia de idiomas Clipsa
— Despacho de abogados Hermanos Ramos
— Agencia de viajes Turalp
— Centro de fisioterapia
— Centro de estudios "Inforlink".

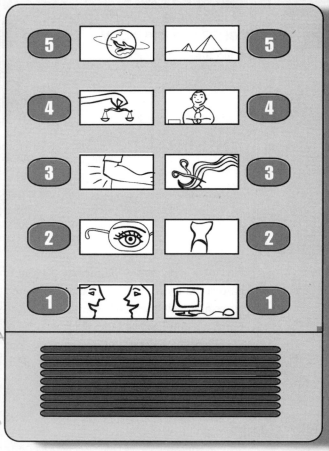

Planta 5	AGENCIA DE VIAJES TURALP	OFICINA DE TURISMO DE EGIPTO
Planta 4	CONSULTORÍA BURGUETE	DESPACHO DE ABOGADOS HERMANOS RAMOS
Planta 3	CENTRO DE FISIOTERAPIA	CENTRO DE PELUQUERÍA Y ESTÉTICA MARILUZ
Planta 2	LINCE VISIÓN ÓPTICOS	CLÍNICA SANIDENT
Planta 1	ACADEMIA DE IDIOMAS CLIPSA	CENTRO DE ESTUDIOS "INFORLINK"

 Establecimientos profesionales

2 Escucha y comprueba. Vb. COMPROBAR = VERIFICARE

 ¿Qué lugar buscamos?

3 A partir de las definiciones, completa el crucigrama y descubre el nombre del lugar
escrito en horizontal.

```
        2
   1    G    3         5
   A    I    C         O    6
   C    H    L    4    F    D
   A    N    I'   E    I    E    s
        A    N         C    S
        S    I         I    P
        I    C         N    A
        o    o    4    a    C
             a              H
             o         o    o
```

Verticales
1. Lugar donde estudiamos un idioma.
2. Lugar donde hacemos ejercicio físico.
3. Lugar donde trabaja una enfermera.
4. Lugar donde trabaja un artista.
5. Lugar donde trabaja una secretaria.
6. Lugar donde trabaja un abogado.

Contraste hay / está. Locuciones de lugar **Ficha 3** **Léxico**

MÓDULO **4**

¿Hay o está?

1 **Elige la opción correcta.**

1. *Hay / Está / Están* una estación de metro cerca de mi casa.
2. La biblioteca municipal *hay / está / están* al final de la calle.
3. Perdona, ¿*hay / está / están* un quiosco aquí cerca?
4. ¿Dónde *hay / está / están* el restaurante árabe?
5. ¿*Hay / Está / Están* un cine detrás de la Plaza de España?
6. ¿Dónde *hay / está / están* el supermercado?
7. Los colegios *hay / está / están* cerca del parque.
8. El estadio de fútbol *hay / está / están* en el centro de la ciudad.

Elige

2 **Completa las frases con hay / está(n).**

1. En mi ciudad no ......HAY.......... una catedral.
2. Oye, ¿......HAY.......... una farmacia por aquí?
3. El Museo Gaudí ......ESTA.......... en Barcelona.
4. La playa de La Concha ......ESTA.......... en San Sebastián.
5. Perdone, ¿dónde ......ESTA.......... la parada del autobús?
6. Siga todo recto y allí ......ESTA.......... la oficina de correos.
7. Oiga, por favor, ¿puede decirme dónde ......ESTA.......... la calle Ortega y Gasset?
8. En Sevilla ......HAY.......... muchos barrios famosos.
9. En Granada ......ESTA.......... el barrio del Albaicín y el barrio del Sacromonte.
10. En Bilbao ......ESTA.......... el museo Guggenheim.

Mini diálogos

3 **Completa los siguientes mini diálogos con las palabras de la lista.**

final, cruce, hay (2), lejos, está, recto, tome, aquí, gire, cerca (2), sigo

1. – Perdona, ¿HAY...... una biblioteca CERCA de aquí?
   • Sí, sí, a unos 200 metros, al final de esta calle está la Biblioteca Municipal.

2. – Mira, AQUÍ..., muy cerca, a unos 50 metros ...ESTA... la estación del metro.
   • Gracias, entonces, ...SIGO... RECTO... y allí está la estación del metro.

3. – Oiga, por favor, ¿puede decirme dónde ...HAY... una farmacia ...CERCA...?
   • Lo siento, no hay una farmacia cerca de aquí. La farmacia está muy ...LEJOS...
   – ¿Dónde?
   • Al ...FINAL... de la calle. ...TOME... la calle principal, después ...CRUCE... la calle, ...GIRE... a la derecha y allí está la farmacia.

Léxico   **Ficha 3**   Contraste hay / está. Locuciones de lugar

MÓDULO 4

En la calle

4   **Ahora escucha y comprueba.**

5   **Lee en voz alta el siguiente texto y elige la opción correcta.**

La ciudad donde vivo es ~~mucho~~ / muy grande y famosa. ~~Están~~ / Hay muchos monumentos importantes. En la Plaza Mayor está / ~~hay~~ el Ayuntamiento, Correos y la oficina de turismo. Una de las calles principales tiene muchas tiendas de moda, librerías, agencias de viajes, restaurantes y también ~~está~~ / hay un cine muy / ~~mucho~~ famoso, se llama "Revoir". Cerca de la Plaza Mayor está / ~~hay~~ la Bliblioteca General y el Centro de Arte Moderno. Algo que no ~~está~~ / hay en mi ciudad es un gran parque. ¡Qué pena!

En tu ciudad

6   **Marca y habla con tu compañero qué hay en su ciudad y dónde está.**

	hay	no hay	¿dónde está?
Una catedral	✓		
Un museo famoso		✓	
Un estadio de fútbol	✓		
Una biblioteca	✓		
Una fuente	✓		
Un monumento importante			
Una estación de tren			
Un parque			
Un centro comercial			
Un polideportivo			
Una piscina municipal			

En tu idioma

7   **Traduce los mini diálogos del ejercicio 3 a tu idioma.**

Ir, seguir y hacer **Ficha 4** **Gramática**
Preposiciones con medios de transporte
MÓDULO **4**

¿Cuál es el presente?

1

Conjuga en presente.

(SEGUIR) SIGO, SIGUES, SIGUE, SEGUIMOS, SEGUÍS, SIGUEN
(IR) VOY, VAS, VA, VAMOS, VAIS, VAN
(HACER) HAGO, HACES, HACE, HACEMOS, HACÉIS, HACEN

SEGUIR		IR		HACER	
1.ª persona plural:	SEGUIMOS	1.ª persona singular:	VOY	2.ª persona plural:	HACÉIS
2.ª persona plural:	SEGUÍS	1.ª persona plural:	VAMOS	1.ª persona singular:	HAGO
3.ª persona singular:	SIGUE	3.º persona plural:	VAN	3.ª persona singular:	HACE
2.ª persona singular:	SIGUES	2.ª persona singular:	VAS	3.ª persona plural:	HACEN

¿Ir, seguir o hacer?

2

Completa las siguientes frases con las formas adecuadas de los verbos ir, seguir y hacer.

1. Todos los días yo VOY en metro a la oficina.
2. Nosotros VAMOS en coche al pueblo.
3. Sí, sí, SIGUES hasta el final y allí está el restaurante.
4. Y tú, ¿ VAS a pie al colegio?
5. Ellos VAN en avión a visitar a sus hijos, que viven en Berlín.
6. Yo HAGO los deberes de español.
7. ¿ HACE usted deporte? XCOMPITI
8. Entonces, SIGO por esta calle y al final está el colegio, ¿no?
9. Esther VA al hospital en coche.
10. ¿Qué HACES los fines de semana?

¿Cómo vas a....?

3

Contesta las preguntas.

1. ¿Cómo vas a tu centro de estudios o trabajo? — GENERALMENTE VOY AL TRABAJO EN COCHE
2. ¿Cómo vas al cine? — VOY AL CINE A PIÉ CON MI AMIGA, Y A LA UNIVERSIDAD EN BICICLETA
3. ¿Cómo vas al polideportivo? — NO VOY NUNCA AL POLIDEPORTIVO
4. ¿Cómo vas al parque? — VOY AL PARQUE EN COCHE
5. ¿Cómo vas a la oficina de correos? — EN BICICLETA
6. ¿Cómo vas a la universidad?
7. ¿Cómo vas al supermercado? — EN COCHE

¿Dónde, cuándo y cómo?

4

Escucha y completa el cuadro.

Dónde va	Cuándo va	Cómo va
MARÍA UNIVERSIDAD (30')	TODOS LOS DIAS	VA EN TREN Y VUELVE A CASA CON UNOS AMIGOS EN COCHE
JIMNASIO (CERCA DE SU CASA)	LOS LUNES Y JUEVES	A PIÉ
BIBLIOTECA	LOS MIERCOLES	EN AUTOBÚS

Los fines de semana voy....

5

Escribe un texto y explica adónde vas, cuándo y cómo. Después léelo en voz alta.

¿Quién es el primero?

1 **Completa las siguientes frases.**

1. En la (3.ª) ...TERCERA... planta está el despacho de dirección.
2. Juana y Raquel han sido las (7.ª) ...SÉPTIMAS... en llegar y por eso no tienen premio.
3. La zona infantil está en el piso (1.º) ...PRIMERO... .
4. Los premios son para el (1.º) ...PRIMERO..., el (2.º) ...SEGUNDO... Y el (3.er) ...TERCER... clasificados.
5. Los seis (1.º) ...PRIMEROS... clasificados son de nuestro equipo.
6. Nuestro equipo es el (10.º) ...DÉCIMO... en la clasificación general.
7. Por favor, ¿la (1.ª) ...PRIMERA... planta?
8. Vivo en el (3.er) ...TERCER... piso, pero mis padres viven en el (6.º) ...SEXTO... .

El uno es el primero

2 **¿Qué ordinal corresponde?**

1. cinco: QUINTO/A
2. cuatro: CUARTO/A
3. dos: SEGUNDO/A
4. tres: TERCERO/A
5. uno: PRIMERO/A

6. diez: DÉCIMO/A
7. nueve: NOVENO/A
8. siete: SÉPTIMO/A
9. ocho: OCTAVO/A
10. seis: SEXTO/A

Forma ordinales

3 **Con las siguientes sílabas forma todos los ordinales posibles.**

(se) (pri) (do) (to) (cuar) (quin) (gun) (mo) (no)
(ve) (oc) (ta) (me) (ce) (vo) (sex) (ti) (de)

SEGUNDO - CUARTO - CUARTA - QUINTO - QUINTA - SEXTO - SEXTA - OCTAVO - NOVENO

4 **Ahora escribe el femenino.**

- YO VIVO EN EL SEGUNDO PISO A LA DERECHA
- ELLOS SON LOS GANADORES DEL NOVENO CAMPEONATO DE FÚTBOL
- MARÍA Y JUANA SON LAS CUARTA Y QUINTA CLASIFICADAS
- YO SIGO EL PRIMER CURSO DE ESPAÑOL
- TOMAS LA OCTAVA CALLE A LA IZQUIERDA
- MIS PADRES TRABAJA EN LA OFICINA EN LA NOVENA PLANTA DE ESTE EDIFICIO

En una frase

5 **Con los ordinales anteriores escribe una frase:** piso (el), ganadores (los), clasificadas (las), curso (el), calle (la), planta (la)

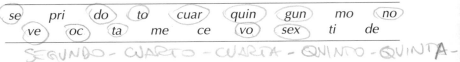

VINCITORI

Los departamentos de la oficina

6 **Escucha y escribe dónde están los diferentes departamentos de la oficina.**

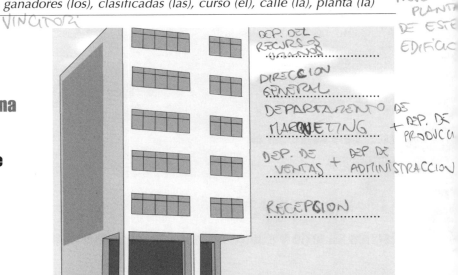

DEP. DEL RECURSOS HUMANOS

DIRECCIÓN GENERAL

DEPARTAMENTO DE MARQUETING + DEP. DE PRODUCCI

DEP. DE VENTAS + DEP DE ADMINISTRACCION

RECEPCION

El barrio donde vivo es un barrio moderno y muy tranquilo.

¿Dónde está tu barrio?

Observa:

Describir.	Es un barrio antiguo, moderno, bonito, etc.
Preguntar por las características de algo.	¿Cómo es? ¿Qué tiene? ¿Qué hay? ¿Dónde está/-n?
Valorar.	¡Qué barrio tan bonito! ¡Qué feo! ¡Qué casa tan tranquila! ¡Qué ruidoso! ¡Qué agradable!
Llamar la atención.	Oye / Oiga, por favor; Perdón, perdone, perdona.
Pedir y dar información.	¿Hay un/a .... por aquí cerca? ¿Dónde está/-n el/la/los/las...? ... sigue/-s todo recto, coge/-s; toma/-s; gira/-s la primera calle a la derecha, cruza/-s el puente, etc.
Preguntar e informar sobre cómo llegar a un lugar.	**Ordenar la explicación:** Primero, sigues todo recto, luego,... después... **Hablar de la distancia:** ... está a 5 minutos / 50 metros. **Confirmar la información:** O sea que..., Entonces...
Agradecer y reaccionar al agradecimiento.	Gracias / Muchas gracias. De nada.
Preguntar o informar sobre una dirección.	A la derecha, a la izquierda, todo recto, al final de, lejos, cerca, enfrente, detrás, en...

Oiga, por favor...

1 **Completa el siguiente diálogo según las indicaciones.**

– *OIGA, POR FAVOR ¿DÓNDE ESTÁ LA ESTACIÓN DE AUTOBUSES?*

      (Llamar la atención y preguntar por la estación de autobuses)

• Pues…, usted sigue todo recto por esta calle, hasta el final, después gira la segunda, no, la segunda no, la tercera a la derecha. Después cruza la calle y toma la primera a la izquierda, sigue unos 100 metros y allí está la estación de autobuses.

– *ENTONCES, SIGO TODO RECTO Y AL FINAL GIRO LA TERCERA A LA DERECHA. LUEGO CRUZO LA CALLE Y TOMO LA PRIMERA A LA IZQUIERDA Y A UNOS 100 METROS ESTÁ LA ESTACIÓN*

      (Confirmar la información)

• Exacto. No está muy lejos de aquí, a unos 10 minutos.

– *MUCHAS GRACIAS*

      (Dar las gracias por la información y despedirse)

• De nada.

En voz alta

2

Lee el diálogo en voz alta. Cuidado con la entonación.

Sigue las instrucciones

3

Observa el siguiente mapa. Tú estás en el Acueducto y tienes que ir a... Habla con tu compañero y explica cómo vas.

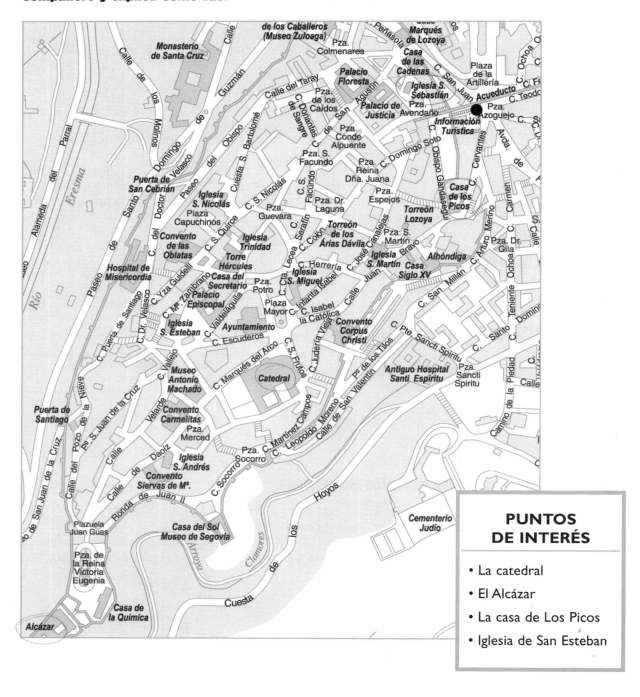

PUNTOS DE INTERÉS

- La catedral
- El Alcázar
- La casa de Los Picos
- Iglesia de San Esteban

¡Qué interesante!

4 Escucha lo que dice Julia sobre su barrio y completa el cuadro.

¿Cómo se llama el barrio?	¿Cómo es?	¿Dónde está?	¿Qué hay?
GRANADA ALBAICÍN	ANTIGUA MEDINA ÁRABA	EN UNA COLINA EN FRUENTE A LA ALAMBRA	CALLES MUY ESTRECHAS Y EMPINADAS CASAS MUY BLANCAS Y MAGNIFICOS ESPACIO'S CON ÁRBOLES (CÁRMENES) PLAZA DE SAN NICOLAS IGLESIA DE EL SALVADOR ~~ANTIGUA~~

MURALLIA NAPARÍ
PALACIO DAR ALORRA
PLAZA NUEVA
CALLE ELVIDAS

¿Y tu experiencia?

5 Escribe un pequeño texto sobre una ciudad que te gusta. Explica cómo es y qué hay.

....
....
....
....
....
....

¡Qué restaurante más caro!

6 Con los siguientes sustantivos y adjetivos haz valoraciones.

Sustantivos:	un edificio, un parque, un barrio, una oficina de correos, una plaza, un centro comercial, un restaurante, una iglesia.
Adjetivos:	grande, ruidoso, tranquilo, feo, animado, interesante, bonito, antiguo.

¡QUÉ EDIFICIO TAN ~~GRANDE~~ FEO!
¡QUÉ PARQUE TAN TRANQUILO!
¡QUÉ BARRIO MÁS ~~ANIMADO~~ RUIDOSO!

¡QUÉ OFICINA DE CORREOS MÁS GRANDE!
¡QUÉ PLAZA MÁS ~~BONITA~~ INTERESANTE!
¡QUÉ CENTRO COMERCIAL TAN ANIMADO!
¡QUÉ RESTAURANTE TAN BONITO!
¡QUÉ IGLESIA TAN ANTIGUA!

¿Qué te parece?

7 Reacciona:

1. Mi ciudad tiene un centro histórico con muchos monumentos.
2. En mi barrio no hay una vida cultural interesante.
3. Escribo correos a mis amigos desde un "cibercafé".
4. En mi calle hay muchos bares y coches.
5. Esa iglesia es del siglo XVI.

1 **Completa con (y) o con (ll).**

1. amari.ll.o
2. bi.ll.ete
3 ho.y. = OGGI
4. ca.ll..e
5. ma.y.onesa
6. a.y..er = IERI
7. Ma.y..o = MAGGIO
8. meji.ll.ones = COZZE
9. bocadi.ll..o

2 **Escucha y repite.**

1. rey
2. hoy
3. soy
4. mayo
5. ayer
6. papaya
7. yogur
8. pollo

3 **Marca la palabra que oigas.**

Variante rioplatense	Variante peninsular
1. ☒ yo	☐ yo
2. ☒ lluvia	☐ lluvia
3. ☒ llave	☐ llave
4. ☐ mayo	☒ mayo

4 **Completa la regla.**

Las palabras siempre tienen una sílaba que se pronuncia más fuerte, esa sílaba se llama tónica.

Si la sílaba tónica es la ...ÚLTIMA........., la palabra se llama aguda. Ej.: *salud*
Si la sílaba tónica es la ..PENÚLTIMA...., la palabra se llama llana. Ej.: *iglesia*
Si la sílaba tónica es la ..ANTEPENÚLTIMA.., la palabra se llama esdrújula. Ej.: *página*

Nota: las palabras esdrújulas <u>siempre</u> se acentúan.

5 **Marca la sílaba tónica y ponle una tilde.**

1. árboles
2. teléfono
3 sábanas
4. lápices
5. miércoles
6. plátanos

6 **Escucha, comprueba y repite.**

Ficha 1 Léxico

Pista 36: ¿Dónde están?

Diálogo 1:
• ¿Es todo?
▪ Sí, eso es todo. ¿Cuánto es, por favor?
• Son 65 euros.
▪ Aquí tiene.

Diálogo 2:
• Por favor, dos entradas para la película de las 8, en la sala 4.
▪ ¿Qué fila quiere?
• Centradas.
▪ Aquí tiene.
• Gracias.

Diálogo 3:
• Buenos días. Quiero información sobre los créditos personales que ofrecen.
▪ Muy bien, pase por aquí y espere un momento, por favor.

Diálogo 4:
• Por favor, ¿el autobús n.º 45 pasa por la Plaza de Cibeles?
▪ Sí, creo que sí.
• Gracias.
▪ De nada.

Ficha 2 Léxico

Pista 37: Establecimientos profesionales

En la primera planta está el centro de estudios de informática "Inforlink" y la academia de idiomas Clipsa.
La consultoría Burguete y el despacho de abogados están en la planta cuarta.
En la planta tercera hay dos centros, uno de fisioterapia y otro de estética.
La óptica Lince Visión y la clínica dental están en la planta segunda.
En la planta quinta hay una agencia de viajes y una oficina de turismo.

Ficha 3 Léxico

Pista 38: En la calle

1 • Perdona, ¿hay una biblioteca cerca de aquí?
  ▪ Sí, sí, a unos 200 metros, al final de esta calle está la Biblioteca Municipal.
2 • Mira, aquí, muy cerca, a unos 50 metros está la estación del metro.
  ▪ Gracias, entonces, sigo recto y allí está la estación del metro.
3 • Oiga, por favor, ¿puede decirme dónde hay una farmacia cerca?
  ▪ Lo siento, no hay una farmacia cerca de aquí. La farmacia está muy lejos.
  • ¿Dónde?
  ▪ Al final de la calle. Tome la calle principal, después cruce la calle y gire a la derecha y allí está la farmacia.

Ficha 4 Gramática

Pista 39: ¿Dónde, cuándo y cómo?

María estudia en la universidad. La universidad no está cerca de su casa, a unos 30 minutos, y por eso todos los días va en tren. Después vuelve a casa en coche, con unos amigos. Los lunes y jueves va al gimnasio a pie porque el gimnasio está cerca de su casa y los miércoles va a estudiar a la biblioteca en autobús.

Ficha 5 Gramática

Pista 40: Los departamentos de la oficina

La oficina en la que trabajo es muy grande. Tiene numerosos departamentos. Yo trabajo en el departamento de Marketing, que está en la tercera planta, y también el departamento de Producción. La recepción está en la primera planta. El departamento de Ventas y el de Administración están en la segunda planta. La Dirección General está en la cuarta planta. Para ir al departamento de Recursos Humanos tienes que subir a la quinta planta.

Ficha 6 Funciones

Pista 41: ¡Qué interesante!

En Granada existe un barrio muy antiguo que se llama Albaicín, Patrimonio de la Humanidad. Este barrio es la antigua Medina árabe y está en una colina frente a la Alhambra.
El Albaicín tiene calles muy estrechas y empinadas, casas muy blancas y magníficos patios con flores que se llaman *cármenes*. En la parte más alta del Albaicín hay una plaza muy conocida que se llama Plaza de San Nicolás. Desde esta plaza se puede ver la Alhambra y Sierra Nevada. También hay otros monumentos como: la iglesia de El Salvador —antigua mezquita árabe— la muralla nazarí y un palacio que se llama Dar al-Horra. Otros dos puntos de interés son: la Plaza Nueva y la calle Elvira.

Ficha 7 Fonética

Pista 42: Ejercicio 2
1. rey, 2. hoy, 3. soy, 4. mayo, 5. ayer, 6. papaya, 7. yogur, 8. pollo.

Pista 43: Ejercicio 3
(var. rp) (var. pen)

(var. rp)	(var. pen)
yo	☐ yo
☐ lluvia	**lluvia**
llave	☐ llave
☐ mayo	**Mayo**

Pista 44: Ejercicio 6
1. árboles, 2. teléfono, 3. sábanas, 4. lápices, 5. miércoles, 6. plátanos.

Vocabulario

Hablar de acciones cotidianas: acostarse, afeitarse, cenar, comer, darse crema, desayunar, ducharse, lavarse, levantarse, pasear, peinarse, pintarse, ponerse una chaqueta, secarse el pelo, tomar algo, ver la tele, vestirse, visitar un museo, etc.

Los días de la semana, los meses y las estaciones del año: lunes, martes, miércoles, jueves, viernes, sábado, domingo y el fin de semana. Enero, febrero, marzo, abril, mayo, junio, julio, agosto, septiembre, octubre, noviembre y diciembre. La primavera, el verano, el otoño, el invierno.

Gramática

Los verbos con diptongo: E>IE; O>UE

Los verbos reflexivos: acostarse, afeitarse, cortarse, darse, ducharse, lavarse, levantarse, peinarse, pintarse, ponerse, secarse, vestirse.

Pronombre reflexivo	Verbos con diptongo en presente	
	ACOSTARSE	DESPERTARSE
me	acuesto	despierto
te	acuestas	despiertas
se	acuesta	despierta
nos	acostamos	despertamos
os	acostáis	despertáis
se	acuestan	despiertan

Para expresar que se realiza una acción sobre uno mismo, se utilizan los pronombres reflexivos. El pronombre reflexivo concuerda con la forma del verbo.
Lavo a los niños / Me lavo.

Preposiciones con valor temporal		
A la(s) + hora **de** la mañana/tarde/noche	Para situar con respecto a la hora.	*Nosotros salimos del trabajo **a** las 6 **de** la tarde.*
Por la mañana/tarde/noche	Para situar aproximadamente en una parte del día.	*Trabajo mejor **por** la mañana que **por** la tarde.*
Ø el lunes/martes/miércoles...	Para situar en un día de la semana o del mes.	*El lunes tengo una reunión importante.*
En + mes o año	Para situar en un mes o año.	*Mi cumpleaños es **en** marzo.*

	Complemento directo	Pronombres con preposición
Yo	me	a, para, mí, conmigo
Tú	te	a, para, ti, contigo
Él, ella, usted	lo, la	a, para, con él
Nosotros/as	nos	a, para, con nosotros
Vosotros/as	os	a, para, con vosotros
Ellos, ellas, ustedes	los, las	a, para, con ellos, ellas, ustedes

acostarse · levantarse · ducharse · secarse el pelo · pasear · cenar · afeitarse · cortarse las uñas · comer · salir · pintarse · desayunar · vestirse · ponerse el abrigo · lavarse los dientes

45 **¿Sabes cuál es su profesión?** ES ENFERMERO PONE SE ~~VISTA~~ SU ROPA BLANCA

1 **Escucha y escribe qué hace esta persona.**

EL SE LEVANTA A LAS CUATRO DE LA MAÑANA Y VA AL TRABAJAR. DESAYUNA A LAS ONCE Y A LA UNA TERMINA EL TRABO. VUELVE A CASA, SE DUCHA, SE AFEITA Y SE DUERME UNAS SIESTA. A LAS CUATRO COME Y PASEA POR LA TARDE VISITA A LOS AMIGOS O VA AL CINE Y SE ACUESTA A LAS DIEZ

Adivina la acción

2 **Lee y di el verbo.**

1. Lo hacen solo los hombres. Muchas veces por la mañana. ...AFEITARSE...
2. Se puede hacer en casa o en un restaurante y es por la noche. ...CENAR...
3. Se hace en casa con las películas, el deporte o tu programa favorito. ...VER LA TELE...
4. Muchas personas utilizan un reloj para hacerlo por la mañana. ...LEVANTARSE...
5. Después de ducharse se hace para dejarse bien el pelo. ...PEINARSE / SECARSE EL PELO...
6. Es muy sano hacerlo todos los días en un parque o en el campo. ...PASEAR...
7. Si es invierno, es bueno hacerlo con un abrigo. ...SALIR DE CASA...
8. Es lo que se hace al final del día. ...ACOSTARSE...
9. Muchas mujeres lo hacen para estar más guapas. ...PINTARSE / MAQUILLARSE...

El verbo habitual correcto

3 **Elige la opción adecuada.**

1. Normalmente yo me *desayuno* / *ducho* por las mañanas, pero hay días en que lo hago también por la tarde, después de hacer deporte.
2. ¿A qué hora te *acuestas* / *levantas* por la mañana?
3. Mi mujer no se *pinta* / *pone* las uñas nunca.
4. ¿Te *afeitas* / *peinas* con maquinilla eléctrica o manual?
5. Pilar se *da* / *pinta* los labios cuando va a una fiesta.
6. No nos *damos* / *ponemos* el abrigo porque no hace frío.
7. Mi hija pequeña ya se *pone* / *viste* sola.
8. Hoy me *acuesto* / *levanto* pronto porque mañana tengo un examen por la mañana.
9. Juan no se *afeita* / *peina*, lleva barba.
10. En España se *cena* / *come* entre las 9 y las 10:30.

Los hábitos de los españoles

4 **Lee este texto sobre los hábitos de los españoles y complétalo con las palabras que faltan.**

Los españoles tienen horarios diferentes a los de muchos europeos. Se ...LEVANTAN... entre las siete y las ocho. ...DESAYUNAN... muy poco, un café con leche y unas galletas, por ejemplo. Empiezan a ...TRABAJAR... entre las ocho y las nueve. A las 11, tradicionalmente ...TOMAN... algo en un bar y ...COMEN... entre las dos y las tres. Terminan de trabajar entre las seis y las ocho. ...CENAN... entre las nueve y las diez y media y se ...ACUESTAN... tarde, a las doce.

Tú y tus hábitos

5 **Escucha y responde a las preguntas.**

1. NORMALMENTE ME DUCHO
2. COMO EN CASA
3. EN GENERAL COMO CON
4. NO, YO NO ME AFEITO
5. NO, NO VEO CASI NUNCA LA TELE
6. NO, YO VOY AL CINE ALGUNA VEZ
7. SI, ME GUSTA MUCHO PASEAR
8. NORMALMENTE YO DESAYUNO CAFÉ Y UNAS GALLETAS

En tu idioma

6 **Escribe en tu idioma estas palabras.**

1. acostarse — ANDARE A LETTO
2. afeitarse — FARSI LA BARBA
3. cenar — CENARE
4. comer — MANGIARE / PRANZARE
5. cortarse las uñas — TAGLIARSI LE UNGHIE
6. darse crema — DARSI LA CREMA
7. desayunar — FARE COLAZIONE
8. ducharse — FARSI LA DOCCIA
9. lavarse — LAVARSI
10. levantarse — ALZARSI
11. pasear — PASSEGGIARE
12. peinarse — PETTINARSI
13. pintarse — TRUCCARSI
14. ponerse algo — METTERSI QUALCOSA
15. secarse el pelo — ASCIUGARSI I CAPELLI
16. tomar algo — PRENDERE QUALCOSA
17. ver la tele — VEDERE LA TELE
18. vestirse — VESTIRSI

DESPERTARSE = SVEGLIARSI

2007

enero						
dom.	lun.	mar.	mié.	jue.	vie.	sáb.
31	1	2	3	4	5	6
7	8	9	10	11	12	13
14	15	16	17	18	19	20
21	22	23	24	25	26	27
28	29	30	31	1	2	3

febrero						
dom.	lun.	mar.	mié.	jue.	vie.	sáb.
28	29	30	31	1	2	3
4	5	6	7	8	9	10
11	12	13	14	15	16	17
18	19	20	21	22	23	24
25	26	27	28	1	2	3

marzo						
dom.	lun.	mar.	mié.	jue.	vie.	sáb.
25	26	27	28	1	2	3
4	5	6	7	8	9	10
11	12	13	14	15	16	17
18	19	20	21	22	23	24
25	26	27	28	29	30	31

abril						
dom.	lun.	mar.	mié.	jue.	vie.	sáb.
1	2	3	4	5	6	7
8	9	10	11	12	13	14
15	16	17	18	19	20	21
22	23	24	25	26	27	28
29	30	1	2	3	4	5

mayo						
dom.	lun.	mar.	mié.	jue.	vie.	sáb.
29	30	1	2	3	4	5
6	7	8	9	10	11	12
13	14	15	16	17	18	19
20	21	22	23	24	25	26
27	28	29	30	31	1	2

junio						
dom.	lun.	mar.	mié.	jue.	vie.	sáb.
27	28	29	30	31	1	2
3	4	5	6	7	8	9
10	11	12	13	14	15	16
17	18	19	20	21	22	23
24	25	26	27	28	29	30

julio						
dom.	lun.	mar.	mié.	jue.	vie.	sáb.
1	2	3	4	5	6	7
8	9	10	11	12	13	14
15	16	17	18	19	20	21
22	23	24	25	26	27	28
29	30	31	1	2	3	4

agosto						
dom.	lun.	mar.	mié.	jue.	vie.	sáb.
29	30	31	1	2	3	4
5	6	7	8	9	10	11
12	13	14	15	16	17	18
19	20	21	22	23	24	25
26	27	28	29	30	31	1

septiembre						
	lun.	mar.	mié.	jue.	vie.	sáb.
26	27	28	29	30	31	1
2	3	4	5	6	7	8
9	10	11	12	13	14	15
16	17	18	19	20	21	22
23	24	25	26	27	28	29
30	1	2	3	4	5	6

octubre						
dom.	lun.	mar.	mié.	jue.	vie.	sáb.
30	1	2	3	4	5	6
7	8	9	10	11	12	13
14	15	16	17	18	19	20
21	22	23	24	25	26	27
28	29	30	31	1	2	3

noviembre						
	lun.	mar.	mié.	jue.	vie.	sáb.
28	29	30	31	1	2	3
4	5	6	7	8	9	10
11	12	13	14	15	16	17
18	19	20	21	22	23	24
25	26	27	28	29	30	1

diciembre						
	lun.	mar.	mié.	jue.	vie.	sáb.
25	26	27	28	29	30	1
2	3	4	5	6	7	8
9	10	11	12	13	14	15
16	17	18	19	20	21	22
23	24	25	26	27	28	29
30	31	1	2	3	4	5

el lunes, el martes, el miércoles, el jueves, el viernes, el sábado, el domingo, el fin de semana, enero, febrero, marzo, abril, mayo, junio, julio, agosto, septiembre, octubre, noviembre, diciembre, la primavera, el verano, el otoño, el invierno.

Los nombres de los días y de los meses

1 Localiza en esta sopa de letras los días de la semana y 11 meses del año. ¿Cuál no está? *SEPTIEMBRE*

```
N O V I E M B R E S E O P T
I E M J U N I O B R E C P R
I M L U N E S A M A R T E S
V E M E R N A V I E R U A M
N O A V I E R N E S O B T A
O Ñ Y E O R I N R V I R E R
A G O S T O R N C O M E A Z
B R Z O A B R D O M I N G O
R I L M A Y J U L I O O J U
I N I O D I C I E M B R E J
L F E B R E R O S A B A D O
```

Días de la semana	Meses
LUNES	ENERO
MARTES	FEBRERO
MIÉRCOLES	MARZO
JUEVES	ABRIL
VIERNES	MAYO
SÁBADO	JUNIO
DOMINGO	JULIO
	AGOSTO
	OCTUBRE
	NOVIEMBRE
	DICIEMBRE

Conoce las fiestas españolas

2 Di estas fechas. Son fiestas en España: ¿sabes qué fiesta es?

1. 12.10 DOCE DE OCTUBRE — FIESTA DE LA HISPANIDAD
2. 06.01 SEIS DE ENERO — REYES MAGOS
3. 01.05 UNO DE MAYO — DÍA DEL TRABAJO / FIESTA DEL TRABAJO
4. 24.12 VEINTICUATRO DE DICIEMBRE — Noche buena
5. 31.12 TREINTA Y UNO DE DICIEMBRE — Fin de año / NOCHE VIEJA

47

3 ¿Cuándo son las fiestas de este año?

Escucha y marca el día en el calendario.

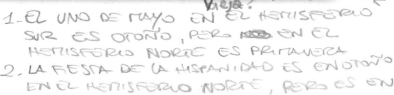

2008

Reyes Magos

Fiesta de la Madre

Fiesta de la Hispanidad

Fiesta de todos los santos

Fiesta de la constitución española

Navidad

Nochevieja? Nochebuena

		enero				
dom.	lun.	mar.	mié.	jue.	vie.	sáb.
30	31	1	2	3	4	5
6	7	8	9	10	11	12
13	14	15	16	17	18	19
20	21	22	23	24	25	26
27	28	29	30	31	1	2

		febrero				
dom.	lun.	mar.	mié.	jue.	vie.	sáb.
27	28	29	30	31	1	2
3	4	5	6	7	8	9
10	11	12	13	14	15	16
17	18	19	20	21	22	23
24	25	26	27	28	29	1

		marzo				
dom.	lun.	mar.	mié.	jue.	vie.	sáb.
24	25	26	27	28	29	1
2	3	4	5	6	7	8
9	10	11	12	13	14	15
16	17	18	19	20	21	22
23	24	25	26	27	28	29
30	31	1	2	3	4	5

		abril				
dom.	lun.	mar.	mié.	jue.	vie.	sáb.
30	31	1	2	3	4	5
6	7	8	9	10	11	12
13	14	15	16	17	18	19
20	21	22	23	24	25	26
27	28	29	30	1	2	3

		mayo				
dom.	lun.	mar.	mié.	jue.	vie.	sáb.
27	28	29	30	1	2	3
4	5	6	7	8	9	10
11	12	13	14	15	16	17
18	19	20	21	22	23	24
25	26	27	28	29	30	31

		junio				
dom.	lun.	mar.	mié.	jue.	vie.	sáb.
1	2	3	4	5	6	7
8	9	10	11	12	13	14
15	16	17	18	19	20	21
22	23	24	25	26	27	28
29	30	1	2	3	4	5

		julio				
dom.	lun.	mar.	mié.	jue.	vie.	sáb.
29	30	1	2	3	4	5
6	7	8	9	10	11	12
13	14	15	16	17	18	19
20	21	22	23	24	25	26
27	28	29	30	31	1	2

		agosto				
dom.	lun.	mar.	mié.	jue.	vie.	sáb.
27	28	29	30	31	1	2
3	4	5	6	7	8	9
10	11	12	13	14	15	16
17	18	19	20	21	22	23
24	25	26	27	28	29	30
31	1	2	3	4	5	6

		septiembre				
dom.	lun.	mar.	mié.	jue.	vie.	sáb.
31	1	2	3	4	5	6
7	8	9	10	11	12	13
14	15	16	17	18	19	20
21	22	23	24	25	26	27
28	29	30	1	2	3	4

		octubre				
dom.	lun.	mar.	mié.	jue.	vie.	sáb.
28	29	30	1	2	3	4
5	6	7	8	9	10	11
12	13	14	15	16	17	18
19	20	21	22	23	24	25
26	27	28	29	30	31	1

		noviembre				
dom.	lun.	mar.	mié.	jue.	vie.	sáb.
26	27	28	29	30	31	1
2	3	4	5	6	7	8
9	10	11	12	13	14	15
16	17	18	19	20	21	22
23	24	25	26	27	28	29
30	1	2	3	4	5	6

		diciembre				
dom.	lun.	mar.	mié.	jue.	vie.	sáb.
30	1	2	3	4	5	6
7	8	9	10	11	12	13
14	15	16	17	18	19	20
21	22	23	24	25	26	27
28	29	30	31	1	2	3

4 Las estaciones según el hemisferio

Lee el texto y contesta a las preguntas.

El calendario en los hemisferios

El hemisferio norte y el hemisferio sur empiezan las estaciones del año al revés. En el hemisferio norte se empieza el año en invierno, porque el invierno es desde el 21 de diciembre al 21 de marzo. En cambio, el hemisferio sur celebra el primer día del año con color, pues es verano. Cuando es invierno en el hemisferio sur, del 21 de junio al 21 de septiembre, en el norte es verano. En España el 12 de octubre es otoño y en Uruguay, por ejemplo, es primavera.

1. ¿Qué estación del año es en el hemisferio sur el uno de mayo? ¿Y en el hemisferio norte?

2. La fiesta de la Hispanidad es en otoño o en primavera. ¿Dónde?

3. "Blanca Navidad" solo se dice en un hemisferio, ¿en cuál?

4. ¿Cuándo es primavera, verano, otoño e invierno en tu país? ¿Y en el otro hemisferio?

1. El uno de mayo en el hemisferio sur es otoño, pero no en el hemisferio norte es primavera

2. La fiesta de la Hispanidad es en otoño en el hemisferio norte, pero es en primavera en el hemisferio sur

3. "Blanca Navidad" se dice en el hemisferio norte, porque ¿aquí? el veinticinco de diciembre es invierno

4. En mi país, primavera es del veintiuno de marzo al 21 de junio verano es del 21 de junio al 21 de septiembre otoño es del 21 de septiembre al 21 diciembre, y el invierno es del 21 de diciembre hasta el 21 de marzo ?

48

5 ¿Y en tu país?

Escucha y di qué estación es en tu país.

6 En tu idioma

Escribe en tu idioma estas fechas.

1. El lunes, 14 de noviembre de 2006.
2. El jueves, 17 de mayo de 2003.
3. El domingo, 11 de enero.
4. El miércoles, 1 de octubre.
5. El viernes, 6 de marzo.

uno de enero = invierno
veintiocho de diciembre = invierno
veinticinco de agosto = verano
nueve de noviembre = otoño
doce de mayo = primavera

> Mañana nos vamos de viaje, así que hoy nos acostamos pronto, ¿no?

> Sí, muy bien.

> Vale, y mañana yo me despierto antes, me ducho y tú mientras despiertas al niño, ¿no?

Yo baño al niño y tú te bañas

1 **Marca la opción adecuada.**

1. ¿Tú Ø / *te* duchas con jabón o con gel?
2. Ø / *Me* baño al niño por la tarde.
3. ¿No Ø / *te* pones ese vestido tan bonito para la fiesta?
4. Esta tarde Ø / *nos* ponemos los libros en la estantería.
5. Mauricio, tú Ø / *te* afeitas al señor Conrado y yo Ø / *me* afeito al señor Gil.
6. Mi padre Ø / *se* afeita con maquinilla manual, pero yo Ø / *me* afeito con maquinilla eléctrica.
7. A ver, hijo, primero Ø / *te* lavas las manos y luego comes, no al revés.
8. Belén y yo Ø / *nos* lavamos el coche los sábados.

49 ¿Quién lo hace?

2 **Escucha y pon el número a las ilustraciones.**

se corta el pelo

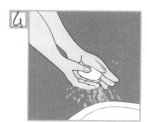   

Las costumbres en la higiene

3

Lee este texto y complétalo con el verbo de la lista en la forma adecuada y los pronombres en caso necesario.

acostar, afeitar, dar, poner, bañar.

Según un estudio de Gillete, los hombres españoles son los europeos más preocupados por su higiene. Como promedio los españoles gastan 49 € mensuales en crema, gel, champú, etc. La mayoría ....~~SE AFEITAN~~ todos los días, ...~~SE DAN~~.... cremas hidratantes y ....~~SE PONEN~~.... perfume. Los padres y madres ....~~BAÑAN~~.... a sus hijos por las tardes, antes de ....~~ACOSTARLO~~Por eso, esta línea de cosméticos lanza nuevos productos especiales para españoles.

Test sobre tus hábitos

4

Marca tus respuestas. Después explícalas.

	Todos los días	A veces	Casi nunca	Por la mañana	Por la tarde	Por la noche
Ducharte		X			X	
Bañarte			X			
Pintarte	X			X		
Darte crema		X			X	X
Ponerte ropa elegante		X		X	X	X

¿Qué hacen?

5

Forma las frases.

TE DUE

1. balneario / María / nos / y / en / yo / un / bañamos MARÍA Y YO NOS BAÑAMOS EN UN BALNEA
2. ¿tú / duchas / mañana? / por / no / la / te ¿TÚ NO TE DUCHAS POR LA MAÑANA?
3. todos / mi / afeita / padre / días / los / se ~~TODOS LOS~~ MI PADRE SE AFEITA TODOS LOS DÍAS
4. acostarse / se / antes / crema / de / da SE DA CREMA ANTES DE ACOSTARSE

En tu idioma

6

Traduce a tu lengua estas frases.

1. En verano vamos a la playa y nos bañamos en el mar.
2. Yo baño al niño por la tarde, después de trabajar.
3. ¿Tú no te duchas con gel?
4. En esta clínica duchan a los perros con un gel especial.

En invierno, normalmente cenamos a las 9 de la noche, pero en verano, claro, cenamos a las diez y media u once.

¿Qué tarde! ¿Y no tomáis nada por la tarde?

Sí, sí, por la tarde tomamos una tapa o un bocadillo.

¿Qué hora es?

1 Escucha y numera los relojes.

② LA UNA MENOS CUARTO

④ LAS NUEVE Y VEINTE

③ LAS CINCO Y MEDIA

⑤ LAS DOCE DE LA NOCHE EN PUNTO

① LAS DOS Y DIEZ

Son las...

2 Di qué hora es.

1. 5:30
2. 6:45
3. 9:25
4. 11:55
5. 1:05
6. 12:15
7. 3:35
8. 7:10

¿A, en, de, por o Ø?

3 Elige la opción correcta.

1. Yo me levanto muy pronto _de_ / por la mañana.
2. Las tiendas cierran a / ~~en~~ las ocho y media _de_ / ~~por~~ la tarde.
3. ~~En~~ / Ø el doce de octubre es fiesta, es la fiesta de la Hispanidad.
4. Me voy de vacaciones en / ~~Ø~~ agosto.
5. _En_ / ~~Ø~~ invierno nos vamos a esquiar.
6. _En_ / Ø el 31 de diciembre a / ~~en~~ las doce _de_ / por la noche, los españoles comen doce uvas.
7. _En_ / Ø marzo, _en_ / Ø el diecinueve de marzo, son las Fallas en Valencia, una fiesta muy sorprendente.
8. ~~En~~ / Ø los domingos _de_ / por la tarde normalmente hay pocas tiendas abiertas.

x che dià la data prima

(handwritten top right) ¿U=O? ¿Se lavan ... a una parola che comincia con O o HC*

Los horarios de los españoles

4

Lee el texto e infórmate. Después corrige las frases.

Hablar de horarios es siempre muy difícil, pues cada persona tiene uno. Pero, en general, muchos españoles se levantan, comen y se acuestan más tarde que los europeos. Se empieza a trabajar entre las ocho y las nueve de la mañana. Las tiendas abren a las nueve y media. Normalmente las tiendas cierran a la una y media o dos y abren por la tarde de cinco a ocho u ocho y media de la tarde. Los bancos abren de ocho a dos. Unos abren también el jueves por la tarde, otros el sábado por la mañana. Los restaurantes están abiertos a la una y media del mediodía hasta las cuatro, y de nueve a once u once y media de la noche. Muchos españoles, especialmente en invierno, cenan a las 9 de la noche. Es la hora del telediario. La mayoría se va a dormir a las once y media o doce de la noche.

1. Los españoles empiezan a trabajar a las ocho de la mañana. *NO, EMPIEZAN A TRABAJAR ENTRE LAS OCHO Y LAS NUEVE DE LA MAÑANA*
2. Las tiendas abren a las ocho y cierran a las dos. No abren por la tarde. *2. NO, LAS TIENDAS ABREN A LAS NUEVE Y MEDIA Y CIERRAN A LA UNA Y MEDIA O DOS . POR LA TARDE ABREN DE 5 A 8 U 8 Y MEDIA*
3. Todos los bancos abren por la mañana y por la tarde. *NO, TODOS LOS BANCOS ABREN DE 8 A 2 - UNOS ABREN TAMBIÉN EL JUEVES POR LA TARDE, OTROS EL SÁBADO POR LA MAÑANA*
4. Los restaurantes abren a las once de la mañana y cierran a las once de la noche. No cierran por la tarde.
5. Normalmente se cena a las 9 en invierno y en verano. *NO, EN VERANO MÁS TARDE*
NO, LOS RESTAURANTES ABREN A LA UNA Y MEDIA HASTA LAS 4, Y DE NUEVE A 11 U 11 Y MEDIA

Adivina qué hacen

5

Observa las imágenes y di qué hacen estas personas y cuándo.

A LAS OCHO DE LA TARDE TOMA TAPAS Y VINO EN UN BAR

1.

2. *A LAS DOS DEL MEDIO DÍA CIERRA EL BANCO*

3. *A LAS SEIS DE LA TARDE SALE DE TRABAJO*

4. *A LAS NUEVE DE LA NOCHE ABRE EL RESTAURANTE*

¿Es igual en tu país?

6

Observa estas informaciones y di cómo es en tu país.

1. En España en verano es de día a las diez de la noche.
2. En mi país el día de la fiesta nacional es el 6 de diciembre. *EN MI PAÍS EL DÍA DE LA FIESTA NACIONAL ES EL 2 DE JUNIO?*
3. Yo me levanto a las seis de la mañana. *YO ME LEVANTO A LAS SIETE DE LA MAÑANA*
4. En mi ciudad las tiendas abren a las nueve y cierran a las dos. *EN MI CIUDAD LAS TIENDAS ABREN / ESTÁN ABIERTAS DE LAS 9 A LA 1 Y DESDE LAS 4 HASTA LAS 8*

En tu idioma

7

Traduce a tu lengua.

1. En invierno cenamos a las nueve de la noche y en verano a las diez y media.
2. El sábado lavo el coche por la mañana y por la tarde voy al cine.
3. El 30 de marzo es mi cumpleaños y hago una fiesta por la noche.
4. Yo desayuno poco por la mañana, pero a las once de la mañana me tomo un café y un bocadillo.

¿Tiene zapatos deportivos?

Los quiero modernos.

Sí, claro. ¿Cómo los quiere?

Para no repetir la información evidente

1 **Lee y sustituye lo que se repite por un pronombre.**

1. Hoy es el cumpleaños de Rosa. Quiero comprar un libro. *LO* Quiero ~~un libro~~ de poesía o una novela.

2. Voy a escribirte un correo electrónico. ¿Me das tu dirección? *LA* Quiero ~~tu dirección~~ para mandarte una invitación. *LA*

3. Jesús y María, os invito a una fiesta. *LA* Doy ~~la fiesta~~ en un restaurante. *LO* Conozco muy bien ~~el restauran-te~~ porque es de mis primos.

4. El v*uelo* a Barcelona tiene retraso. *RITARDO LO* Dicen por megafonía ~~que el vuelo a Barcelona tiene retraso.~~ Vamos a confirmar en información ~~que el vuelo a Barcelona tiene retaso.~~ *LO*

 51

¿El qué?

2 **Escucha y marca de qué habla.**

3 El pan.   **2** A ustedes.   **4** La catedral.   **5** Los partidos de fútbol.   **1** El correo electrónico.

Te invito a mi fiesta

3 **Marca la opción adecuada.**

¡Film! "Película" DANNO

1. *Te* / ~~Me~~ invito, que es mi cumpleaños.
2. ~~Nos~~ / *Se* llaman para concertar una cita.
3. ¿*Volver?*, ~~me~~ / *la* ponen en este cine.
4. A mi mujer *la* / ~~te~~ conocí en una fiesta.

Sí, la conozco y me gusta mucho

4 **Responde a estas preguntas afirmativamente. Después, negativamente.**

1. ¿Conoces España? *SÍ, LA CONOZCO / NO, NO LA CONOZCO*
2. ¿Me conoces? *SÍ, TE CONOZCO / NO, NO TE CONOZCO*
3. ¿Ves el fútbol por la tele? *SÍ, LO VEO / NO, NO LO VEO NUNCA*
4. ¿Haces deporte con frecuencia? *SÍ, LO HAGO MUCHAS VECES / NO, NO LO HAGO NUNCA*

¿Y tú?

5 **Ahora tú, responde a estas preguntas.**

1. ¿Conoces la ciudad de Madrid?
2. ¿Normalmente lees el periódico?
3. ¿Tienes amigos hispanos?
4. ¿Ves con frecuencia películas españolas?

1. NO, NO LA CONOZCO ~~DE~~ NADA
2. NO, NO LO LEO NUNCA
3. NO, NO ~~LOS~~ LOS TENGO
4. SÍ, LAS VEO MUCHAS VECES / A MENUDO

_muchas veces, a veces, alguna vez, pocas veces, casi nunca, nunca,
todos los días / todas las semanas / todos los años, dos/tres veces por semana_

52 Hábitos deportivos

1 **Observa esta estadística sobre los hábitos deportivos de los españoles y marca si es verdadero o falso. Después escucha y comprueba.**

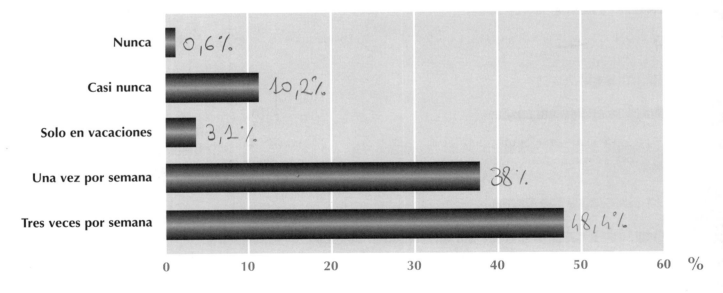

1. La mayoría de los españoles hace poco deporte, solo una vez a la semana o menos.
2. Más de la mitad de los españoles hace deporte muchas veces.
3. Los españoles no hacen deporte nunca.
4. Muchos españoles hacen deporte todos los días.
5. Algunos solo hacen deporte en vacaciones.

¿Y tú?

2 Estas son las aficiones de los españoles por orden de preferencia. Marca con qué frecuencia lo haces tú. Cuéntalo en clase.

	Muchas veces	A veces	Casi nunca	Nunca
1. Estar con la familia		X		
2. Ver televisión			X	
3. Estar con los amigos/as	X			
4. Escuchar música	X			
5. Leer libros, revistas		X		
6. Oír la radio	X			
7. Ir de compras a centros comerciales	X			
8. Ir al cine			X	
9. Salir al campo, ir de excursión	X			
10. Hacer deporte			X	
11. No hacer nada especial				X
12. Ir a bailar	X			
13. Asistir a actos culturales (conferencias, exposiciones)		X		
14. Ir a conciertos, ópera, teatro		X		
15. Tocar un instrumento musical				X
16. Ir a reuniones políticas				X

53

Por megafonía de IFEMA

3 Escucha y relaciona qué hay en cada pabellón.

1. Pabellón 3 ⟶ a. Sector del calzado (FERIA DEL CALZADO)
2. Pabellón 5 — b. Sector del libro, expositores internacionales
3. Pabellón 6 — c. Sector del libro, expositores nacionales
4. Pabellón 7 — d. Sector del regalo

Para ir a IFEMA concierto una cita

4 Completa este diálogo con una de las siguientes expresiones.

---
*De acuerdo - Me gustaría tener - Mejor - No me va bien -
Nos podemos reunir - Qué le parece*

• Buenos días, soy Juan Carlos Juncal Gómez y tengo una nueva librería en Bratislava. ME GUSTARÍA TENER una cita con usted en Ifema para poder conocer sus novedades y ver la posibilidad de importar sus libros en Eslovaquia.

− Bueno, como usted sabe, tenemos un distribuidor exclusivo en Eslovaquia, pero podemos vernos y hablar. NOS PODEMOS REUNIR en nuestro *stand*, en el pabellón 7.

• Muy bien. ¿QUÉ LE PARECE... el martes?

− Lo siento, NO ME VA BIEN . El martes tengo la agenda llena. MEJOR el jueves a las 12.00.

• DE ACUERDO . Entonces el jueves a las 12.00.

En tu idioma

5 Traduce a tu lengua estas frases.

1. Nosotros cenamos en un restaurante una vez a la semana.

2. A menudo voy al cine, dos o tres veces al mes.

3. No leo nunca revistas sobre la gente famosa.

4. Nunca voy al cine solo.

1

Escucha y escribe en una de las columnas.

G + a / o / u GU + e / i	J + a / e / i / o /u G + e / i

2

Ahora lee en voz alta. Después escucha y comprueba.

1. guante
2. gazapo
3. general
4. gigante
5. jabón
6. global
7. gusano
8. juguete
9. juerga
10. gustar

3

Escucha y completa.

1. ami....o
2. dibu....o
3. e....emplo
4. ....ato
5. ....imnasio
6. ....itano
7. ....ramática
8. ....uapo
9. ....erra
10. ....isar
11. ....itarra
12. hi....o
13. ....amón
14. ....ota
15. ....ueves
16. ....ugar
17. ....usticia
18. mu....eres
19. relo....es
20. se....uir
21. traba....ar

4

¿Qué oyes?

1. ☐ hiel   ☐ fiel
2. ☐ hueco   ☐ zueco
3. ☐ huevo   ☐ nuevo
4. ☐ hierro   ☐ fiero
5. ☐ hiena   ☐ llena

Ficha 1 Léxico

Pista 45: ¿Sabes cuál es su profesión?

Yo no tengo un horario normal, por mi trabajo. Me levanto a las cuatro de la mañana o de la noche y me pongo mi ropa blanca. Voy a trabajar y desayuno a las once. A la una termino el trabajo y me voy a casa. Me ducho, me afeito y me duermo una siesta. A las cuatro como y paseo. Por la tarde visito a mis amigos o voy al cine y me acuesto a las diez.

Pista 46: Tú y tus hábitos.

1.¿Normalmente te duchas por la mañana o por la tarde?, 2. ¿Comes en casa o en un restaurante?, 3. En general, ¿cenas solo o con amigos o familia?, 4. ¿Tú te afeitas?, 5. ¿Ves mucho la televisión?, 6. ¿Vas mucho al cine?, 7. ¿Te gusta pasear?, 8. ¿Qué desayunas normalmente?

Ficha 2 Léxico

Pista 47: ¿Cuándo son las fiestas de este año?

El primer día del año es martes. El día de los Reyes Magos es el domingo seis de enero. La fiesta de la Madre es el domingo cuatro de mayo. El domingo 12 de octubre es la fiesta de la Hispanidad. El sábado 1 de noviembre es la fiesta de Todos los Santos. El sábado seis de diciembre es la fiesta de la Constitución española. Nochebuena es el miércoles veinticuatro de diciembre por la noche. Y Navidad el jueves 25. La última noche del año, Nochevieja, es el miércoles 31 de diciembre. ¡Feliz año nuevo!

Pista 48: ¿Y en tu país?

1. El uno de enero, 2. El 25 de agosto, 3. El 9 de noviembre, 4. El 12 de mayo, 5. El 28 de diciembre.

Ficha 3 Gramática

Pista 49: ¿Quién lo hace?

1. El peluquero corta el pelo a su cliente, 2. Maruja se corta el pelo, 3. Lava el jersey, que está muy sucio, 4. Me lavo las manos antes de comer, 5. Nos bañamos en el río en verano, 6. Bañamos al bebé por las mañanas, 7. Se afeita con maquinilla eléctrica, 8. El barbero afeita con maquinilla manual.

Ficha 4 Gramática

Pista 50: ¿Qué hora es?

1. Son las dos y diez, 2. Es la una menos cuarto, 3. Son las cinco y media, 4. Son las nueve y veinte, 5. son las doce de la noche en punto.

Ficha 5 Gramática

Pista 51: ¿El qué?

1. Te lo mando esta tarde, 2. Los conozco muy bien, 3. Lo compro en el supermercado, 4. La visitamos mañana, 5. Los vemos en televisión.

Ficha 6 Funciones

Pista 52: Hábitos deportivos

Los españoles, en general, no hacen mucho deporte. Un 0,6% no hace deporte nunca, un 10, 2% casi nunca y un 3,1% solo en vacaciones. Hace deporte una vez a la semana el 38% del total de los españoles o, como mucho, tres veces a la semana, el 48,4%. La mayoría juega al fútbol, corre o juega al tenis.

Pista 53: Por megafonía de Ifema.

Señoras y señores, Ifema abre sus puertas. Feria del calzado en el pabellón 3. El sector del regalo, en el pabellón 5. El sector del libro, en los pabellones 6 y 7. Los expositores internacionales en el pabellón 6 y los expositores nacionales en el pabellón 7. Por favor, los distribuidores y profesionales tienen la entrada por el sector sur.

Ficha 7 Fonética

Pista 54: Ejercicio 1

gente, jarra, guisante, joven, Gil, gordo, guerra, gustar, jefe, ganas, jirafa, juntos.

Pista 55: Ejercicio 2

1. guante, 2. gazapo, 3. general, 4. gigante, 5. jabón, 6. global, 7. gusano, 8. juguete, 9. juerga, 10. gustar.

Pista 56: Ejercicio 3

1. amigo, 2. dibujo, 3. ejemplo, 4. gato, 5. gimnasio, 6. gitano, 7. gramática, 8. guapo, 9. guerra, 10. guisar, 11. guitarra, 12. hijo, 13. jamón, 14. jota, 15. jueves, 16. jugar , 17. justicia, 18. mujeres, 19. relojes, 20. seguir, 21. trabajar.

Pista 57: Ejercicio 4

1. fiel, 2. hueco, 3. nuevo, 4. hierro, 5. llena.

MÓDULO 6

Vocabulario

El ocio: el cine, la película, la prensa (los diarios, los suplementos, las revistas), el teatro, la televisión, etc.

Los deportes: el ajedrez, el atletismo, el baloncesto, el balonmano, la caza, el ciclismo, la escalada, el esquí, el fútbol, el golf, el judo, el kárate, el montañismo, la natación, la pesca, el taekwondo, el tenis, el tiro olímpico, el voleibol, etc.

El teléfono: la agenda, contestar al teléfono, dejar un recado, despedirse y colgar, la guía telefónica, hablar por teléfono, llamar por teléfono, el recado, el teléfono, etc.

Gramática

Las estructuras comparativas		
VERBO	**SUSTANTIVO**	**ADJETIVO**
...Más que *Toledo me gusta más que Segovia*	**Más... que** *Segovia tiene más restaurantes que Toledo*	**Más... que** *Toledo es más conocida que Segovia*
...Menos que *Segovia me gusta menos que Toledo*	**Menos... que** *Toledo tiene menos restaurantes que Segovia*	**Menos... que** *Segovia es menos conocida que Toledo*
...Tanto como *Toledo me gusta tanto como Segovia*	**Tantos/as ...como** *Segovia tiene tantos restaurantes como Toledo*	**Tan...como** *Segovia es tan conocida como Toledo*

(+ / − / = marcadores en la columna izquierda)

Las perífrasis:

Hablar del futuro	
Contar un plan	**Ir a +** infinitivo
Indicar una intención	**Pensar +** infinitivo
Expresar un deseo	**Querer +** infinitivo

Indicar un tiempo futuro	
Dentro de	+ cantidad de tiempo
El / la próximo/a	+ semana, mes, año...
Hoy, mañana, pasado mañana	

Acciones en progreso
Estar + gerundio

Acciones pasadas
Acabar de + infinitivo

Funciones

Quedar: ¿Qué piensas hacer...?, ¿Y si...?, ¿Por qué no...?, ¿Cómo quedamos?, Es que..., etc.

Hablar por teléfono: Diga, ¿Sí?, ¿Está...?, Ahora se pone, ¿De parte de quién?, ¿Quiere dejar un recado?, Lo siento es que está..., etc.

¿Yo? Natación, yoga, pasear, salir con mis amigas, ver fútbol, sí, me gusta muchísimo ver el fútbol y las carreras de motos y... bla, bla, bla...

Y usted, ¿qué hace en su tiempo libre?

¿Qué actividad es?

1

Relaciona las palabras con los símbolos.

 baloncesto
a.

 ciclismo
b.

 fútbol
c.

1. ajedrez	5. ciclismo	9. golf	13. pesca
2. atletismo	6. escalada	10. kárate	14. taekwondo
3. baloncesto	7. esquí	11. montañismo	15. tenis
4. balonmano	8. fútbol	12. natación	16. voleibol

 escalada
o.

 natación
ñ.

pesca
n.

d. ajedrez e. balonmano f. golf g. montañismo h. atletismo i. kárate j. esquí k. voleibol l. tenis m. taekwondo

K = ca

¿Qué se hace?

2

Relaciona estas actividades de ocio con el verbo correspondiente.

LOS MÚSICOS DAN UN CONCIERTO

cine   obra de teatro   tenis   película   teatro   museo   concierto   ciclismo   discoteca

Hacer   **Jugar**   **Ver**   **Ir**   **Leer**

televisión   kárate   fútbol   periódico   golf   revista   montañismo   libros   voleibol   natación

Hacer ciclismo   Jugar Tenis   Jugar voleibol   Hacer una
Hacer montañismo   Jugar Fútbol   ver película   ver obra
Hacer natación   Jugar golf   Ir al concierto   de
Hacer kárate   ver televisión   teatro
Ir al cine
ir al teatro
ir al museo
ir a la discoteca
leer el periódico
leer la revista
leer los libros

¿De qué hablan?

3

Escucha y marca las actividades de las que habla esta persona.

- ☒ viajar
- ☒ ir al cine
- ☐ ir al teatro
- ☐ cocinar
- ☒ cenar fuera de casa
- ☒ montar en bicicleta
- ☐ jugar al fútbol
- ☒ quedarse en casa

- ☒ ver fútbol: ☒ en la televisión ☒ en directo
- ☐ ver tenis: ☐ en la televisión ☐ en directo
- ☐ jugar con el ordenador
- ☒ leer
- ☐ salir con amigos
- ☒ ver arte NO LE GUSTA MUCHO
- ☒ ir al campo
  (Pasear en el campo)

LE GUSTA MUCHO MÁS

El ocio en casa de los españoles

4 Lee esta información y escribe un pequeño texto sobre el ocio en casa de los españoles. Compara tu texto con el de tu compañero.

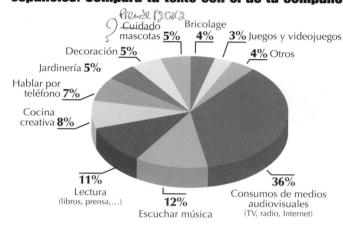

Prende fgura
Cuidado mascotas **5%**
Bricolage **4%**
3% Juegos y videojuegos
Decoración **5%**
4% Otros
Jardinería **5%**
Hablar por teléfono **7%**
Cocina creativa **8%**
11% Lectura (libros, prensa,…)
12% Escuchar música
36% Consumos de medios audiovisuales (TV, radio, Internet)

Los españoles dedican:
El 4% de su tiempo de ocio en casa a hacer bricolaje, el 36% consumiendo(?) los medios audiovisules, el 12% a escuchar música, el 11% a leer libros o otras cosas. El 5% de su tiempo de ocio, los españoles esciban hacen decoració y un otros 5% se dedican a la jardin Por el 7% de su tiempo hablan por Telefono, y por el 3% hacen juegos videojuegos. La cocina creativa

www.facilisimo.com/encuesta

es muy bonita por los españoles, que la hacen el 8% de su tiempo!

Córdoba

5 Lee este texto sobre Córdoba y coloca estas palabras en los huecos:

gastronomía, fiesta, monumento, restaurantes, interesantes, impresionante, barrio, tapas, flamenco.

Córdoba es uno de los destinos turísticos españoles más __interesantes__ para visitar.

CENTRO HISTÓRICO:

* La Mezquita de Córdoba es el __monumento__ más __impresionante__ de la etapa musulmana en todo Occidente y se empieza a construir en el año 785.

[periodo, mando epoca, tappa] percorso

* La Mezquita está situada en la Judería, antiguo __barrio__ judío. Este barrio está declarado Patrimonio de la Humanidad por la UNESCO.

FIESTAS:

DISFRUTAR divertirsi

* Se puede <u>disfrutar del</u> goderti __flamenco__: del cante, del <u>toque</u> y del baile en una <u>ruta</u> por las Tabernas de Córdoba, los meses de febrero, marzo y hasta el 19 de abril. [toco suono] [percorso itinerario]

Flores

* La __fiesta__ de los Patios, Rejas y Balcones se celebra el segundo y el tercer fin de semana de mayo. Es un concurso de patios, en el que se elige el <u>patio</u> más bonito. Son famosos los de la Axerquía, San Agustín y San Basilio.

* __GASTRONOMÍA__

* En Córdoba hay muchísimos __restaurantes__ para disfrutar de sus platos más famosos, en los que el aceite de oliva es el principal protagonista. También son muy típicas sus __tapas__.

¿Y tú?

6 Responde verbalmente a las preguntas. Después, anota tus respuestas y compáralas con las de tu compañero.

1. Si vas como turista a una ciudad, ¿qué te interesa, los monumentos antiguos o los edificios modernos? me interesa mas los monumentos antiguos

2. ¿Te gusta ir a los museos? Si, me gusta mucho

3. ¿Y pasear por las calles y los barrios? Si tambien

4. ¿Te interesa la gastronomía? Si, me interesa bastante pero no me gusta estar en los restaurantes Todos el dia!

5. ¿Pruebas los platos típicos? Si, siempre

6. ¿Qué prefieres, comer un menú en un restaurante o tomar tapas? Prefiero tomar tapas... y vino

7. ¿Te gusta conocer a la gente de la ciudad que visitas? Si, me gusta mucho. Pero es muy difíci por mi, por yo soy mu Timide

8. En general, ¿qué te gusta más, conocer ciudades o la naturaleza, los parques naturales, practicar deportes, ir a la playa...? me gusta mas ver los parques naturales y tambien las ciudades. No me gusta hac deportes!

> A ver, primero, descolgar el teléfono, después, introducir monedas o tarjeta. Después, marcar. A ver...

 59

¿Dígame?

1 **Escucha y marca la letra de la frase que corresponde a:**

frase

1. Contestar al teléfono. ☐
2. Dejar un recado. ☐
3. Despedirse y colgar. ☐

frase

4. Preguntar por alguien. ☐
5. Preguntar quién llama. ☐
6. Marcar. ☐

La cabina telefónica

2 **Lee este texto de un estudiante de Erasmus en España y marca todas las palabras relacionadas con el teléfono.**

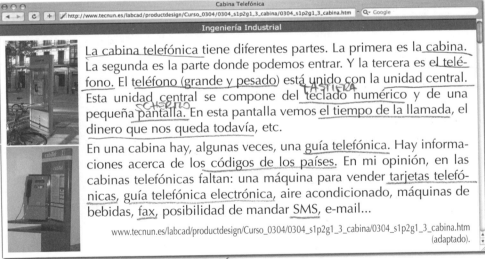

Cabina Telefónica

http://www.tecnun.es/labcad/productdesign/Curso_0304/0304_s1p2g1_3_cabina/0304_s1p2g1_3_cabina.htm — Google

Ingeniería Industrial

La cabina telefónica tiene diferentes partes. La primera es la cabina. La segunda es la parte donde podemos entrar. Y la tercera es el teléfono. El teléfono (grande y pesado) está unido con la unidad central. Esta unidad central se compone del teclado numérico y de una pequeña pantalla. En esta pantalla vemos el tiempo de la llamada, el dinero que nos queda todavía, etc.

En una cabina hay, algunas veces, una guía telefónica. Hay informaciones acerca de los códigos de los países. En mi opinión, en las cabinas telefónicas faltan: una máquina para vender tarjetas telefónicas, guía telefónica electrónica, aire acondicionado, máquinas de bebidas, fax, posibilidad de mandar SMS, e-mail...

www.tecnun.es/labcad/productdesign/Curso_0304/0304_s1p2g1_3_cabina/0304_s1p2g1_3_cabina.htm
(adaptado).

¿Qué es?

3 **Mira estas palabras y relaciónalas con las imágenes.**

1. Agenda
2. Móvil
3. Guía telefónica

4. Teléfono
5. Cabina telefónica
6. Tarjeta telefónica

En tu idioma

4

¿Cómo se dice en tu lengua?

1. Contestar al teléfono.   *RISPONDERE*
2. Dejar un recado. *LASCIARE UN ...*
3. Despedirse.
4. Colgar. *BUTTARE GIU-RIAPPONDERE*
5. Preguntar por alguien.
6. Preguntar quién llama.
7. Agenda.
8. Móvil.
9. Guía telefónica.
10. SMS.
11. Cabina telefónica.
12. Llamada telefónica.
13. Tarjeta telefónica.
14. Código de los países. *PREFISSO*

Instrucciones de uso

5

Éstas son las instrucciones para utilizar un teléfono. Coloca el título correspondiente a cada instrucción.

1.

CÓMO REPETIR UNA LLAMADA

Descolgar el auricular y, al oír el tono, presionar la tecla ENVIAR. El teléfono, automáticamente, marca el último número.

a. | CÓMO HACER UNA LLAMADA USANDO UN NÚMERO MEMORIZADO

b. | CÓMO RECIBIR UNA LLAMADA

2. **CÓMO HACER UNA LLAMADA USANDO UN NÚMERO MEMORIZADO**

1. Descolgar el auricular.
2. Presionar los números de la memoria correspondiente.

c. | CÓMO HACER UNA LLAMADA

d. | CÓMO REPETIR UNA LLAMADA

3. **CÓMO RECIBIR UNA LLAMADA**

Cuando el teléfono suena, levantar el auricular y responder a la llamada.

4. **CÓMO HACER UNA LLAMADA**

Descolgar el auricular y al oír el tono, marcar normalmente.

¿Qué vas a hacer hoy?

Quiero ir a comprarme ropa, pero no sé si tengo tiempo, porque tengo que trabajar hasta tarde. ¡Ah!, y voy a ver a mi madre.

Las buenas intenciones

1 **Hoy es 1 de enero y es el día de las buenas intenciones. Completa.**

Javier: Este año pienso trabajar menos, estoy trabajando demasiado. Además ....*pienso*.... hacer una dieta y comer sólo cosas sanas.

Miguel: Pues yo ...*pienso ver*... mucho menos la televisión y leer mucho más.

Javier: Tienes razón, yo también ...*quiero*.... dedicar mi tiempo libre a cosas más interesantes: ...*pienso hacer*... algún deporte. No sé, natación o bicicleta. Y tú, Inés, ¿qué ...*piensas hacer*... este año?

Inés: Yo ...*quiero estudiar*... francés, me gusta mucho. Y ...*pienso ir*... al trabajo a pie todos los días, así no uso tanto el coche y hago más deporte.

Miguel: Eso es una buena idea, además hay que cuidar el medio ambiente. Pilar y yo ...*pensamos*... instalar energía solar en casa.

Javier: ¡Qué bien!

Miguel: Y yo este año ...*quiero viajar*... a la India, o a algún sitio muy lejos.

¿Qué vas a hacer?

2 **Lee las preguntas. Después une los principios y finales de las respuestas con la forma verbal adecuada. Escríbelas.**

Quiero ser... No, queremos...	ir a Alicante, a la playa. queremos ir a Finlandia.
Este año... Este verano...	el mejor portero de fútbol del mundo.
Quieren... No, primero quiero...	cenar con Santiago y Marcelo. terminar este texto. quiero estudiar música.

1. ¿Qué vas a hacer este año?
2. ¿Qué vas a ser de mayor?
3. ¿Qué vais a hacer este verano?
4. ¿Vienes a tomar algo?
5. ¿Qué van a hacer tus padres en vacaciones?
6. ¿Venís al cine esta noche?

Este año quiero estudiar música
Quiero ser el mejor portero de fútbol del mundo
Este verano queremos ir a Finlandia
No, primero quiero terminar este texto
Quieren ir a Alicante, a la playa
No, queremos cenar con Santiago y Marcelo

60 ¿Cuándo lo vas a hacer?

3 Lee esta lista de cosas y piensa cuándo las vas a hacer. Después, escucha y responde:

1. comer
2. descansar
3. tener vacaciones
4. cenar
5. ver a tus amigos
6. dormir
7. salir
8. hacer un viaje
9. terminar este ejercicio

Dentro de un/a, dos ...horas, días, meses. El / la próximo/a semana, mes, año... Hoy, mañana, pasado mañana

La agenda

4 Mira estas agendas y escribe qué vais a hacer tú y estas personas. Después, compara tus resultados con los de tu compañero.

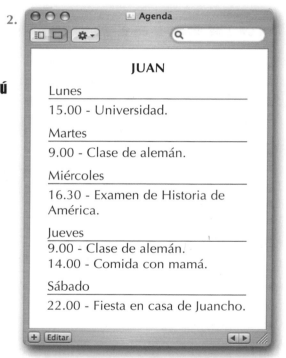

2.

JUAN

Lunes
15.00 - Universidad.

Martes
9.00 - Clase de alemán.

Miércoles
16.30 - Examen de Historia de América.

Jueves
9.00 - Clase de alemán.
14.00 - Comida con mamá.

Sábado
22.00 - Fiesta en casa de Juancho.

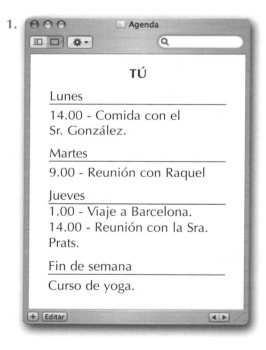

1.

TÚ

Lunes
14.00 - Comida con el Sr. González.

Martes
9.00 - Reunión con Raquel

Jueves
1.00 - Viaje a Barcelona.
14.00 - Reunión con la Sra. Prats.

Fin de semana
Curso de yoga.

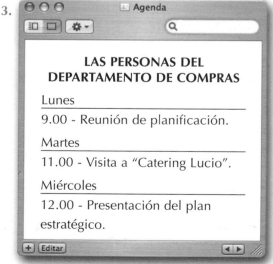

3.

LAS PERSONAS DEL DEPARTAMENTO DE COMPRAS

Lunes
9.00 - Reunión de planificación.

Martes
11.00 - Visita a "Catering Lucio".

Miércoles
12.00 - Presentación del plan estratégico.

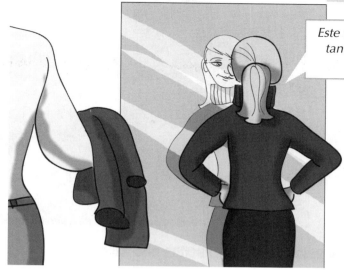

Este no me gusta tanto como el otro.

¿Cómo es Hispanoamérica?

1 **Mira este cuadro y completa las frases.**

PAÍS	SUPERFICIE	POBLACIÓN	% HISPANOHABLANTES
Bolivia	1.098.581 km²	8.857.870 habitantes	87,7%
Argentina	2.780.400 km²	139.537.943 habitantes	99,7%
México	1.964.382 km²	106.202.900 habitantes	98,4%
Chile	756.626 km²	15.980.912 habitantes	90,0%
Ecuador	272.045 km²	13.363.593 habitantes	93,0%

Microsoft (r) Encarta (r) 2006. (c) 1993-2005 Microsoft Corporation y Anuario del IC de 1998.

1. Bolivia es ..*MÁS*.. grande ..*QUE*.. Chile, pero tiene ..*MENOS* habitantes.
2. Ecuador tiene casi ..*TANTOS* habitantes *COMO*.. Chile, pero es ..*MÁS*.. pequeño.
3. Chile tiene ..*MENOS*.. habitantes ..*QUE*.. Argentina y es mucho ..*MÁS*.. pequeño.
4. México es ..*MÁS*.. pequeño ..*QUE*.. Argentina, y tiene muchos ..*MENOS*.. habitantes.
5. Argentina es ..*MÁS*.. grande que México, y tiene muchísimos ..*MÁS*.. habitantes.
6. En Bolivia hablan ..*MENOS*.. español ..*QUE*.. en Argentina.
7. En Argentina hablan ..*MÁS*.. español ..*QUE*.. en México.
8. En Chile hablan ..*MENOS*.. español ..*QUE*.. en Ecuador, México y Argentina.

Comprueba

2 **Ahora escucha las frases correctas y comprueba los resultados.**

¿Qué te gusta más?

3 **Compara estas actividades y escribe las frases correspondientes.**

¿ir al cine o al teatro? / ¿cocinar o cenar fuera de casa? / ¿hacer deportes o verlos? / ¿ver deportes en la televisión o en directo? / ¿jugar con el ordenador, leer o salir con amigos?

Me gusta más ver las películas en el cine que en la televisión.

1. ME GUSTA MÁS IR AL CINE QUE AL TEATRO
2. ME GUSTA MÁS CENAR FUERA DE CASA QUE COCINAR
3. ME GUSTA MENOS VER DEPORTES QUE HACERLO
4. NO ME GUSTA TANTO VER DEPORTES EN LA TELEVISIÓN COMO EN DIRECTO
5. ME GUSTA MÁS SALIR CON AMIGOS Y LEER QUE JUGAR CON EL ORDENADOR

> ¿Estoy poniéndome el sombrero, ahora salgo y os como a todos.

> Lobo, ¿estás?

 Está...

1

Escucha estos diálogos y escribe qué hacen.

1. .... 3. ....
2. .... 4. ....

 ¿Qué están haciendo?

2

Escríbelo debajo de los dibujos.

1. ESTÁ BAILANDO

3. ESTÁ ESTUDIANDO

5. ESTÁ ESCRIBIENDO

7. ESTÁ CORRIENDO

2. ESTÁ VIENDO LA TELE

4. ESTÁ COMIENDO

6. ESTÁ COMPRANDO

8. ESTÁ SUBIENDO

Acabo de...

– ¿Está todavía reunida la Sra, Ruiz?
• No, acaba de terminar hace un segundo.

3

Completa las frases.

1. – ¿Está el Sr. Villanueva, por favor?
  • Sí, (llegar) ESTÁ LLEGANDO/ACABA DE LLEGAR

2. – ¿Dígame...?
  • ¿Ana?
  – Está durmiendo... ¡Ah!, no, perdona, aquí viene, (levantarse) SE ESTÁ LEVANTANDO/ACABA DE LEVANTARSE

3. – ¿Un café?
  • No, gracias (tomar) ACABO DE TOMAR(ME)? uno.

4. – ¿Quieres tomar algo de picar?
  • No, gracias, (comer) ACABO DE COMER

5. – ¿Tienes la carta?
   • Sí, (escribirla) _LA ESTOY ESCRIBIENDO_

6. – ¿Y Carlos?
   • Pues (estar) ....0........ aquí ahora mismo..., (salir) _ACABA DE SALIR_

7. – Estoy muy contento. (Firmar)
   ACABO DE .... un contrato importantísimo.
   FIRMAR

8. – ¿Dígame?...
   • ¡Hola, Jaime! Sí, vengo de Budapest, (llegar) _ACABO DE LLEGAR_

Acabar de o estar

4 **Completa con acabar de + infinitivo o estar + gerundio.**

1. El e-mail a David Montero.
2. El documento con las direcciones de todos.
3. El texto sobre las traducciones.
4. La lista de clientes.
5. Bien. ¿El abogado?

• Lo _ACABO DE_ (enviar) a su dirección electrónica. _ENVIAR_
• Lo _ESTOY_ .... (terminar). _TERMINANDO_
• Lo _ACABO DE_ (escribir) ahora mismo. _ESCRIBIR_
• La _ESTOY_ empezar _EMPEZANDO_
• _ACABO_ .... (hablar) con él.
   DE HABLAR

De vacaciones

5 **Lee y completa con la preposición adecuada: a, en, de, por.**

• ¿Dónde vas estas vacaciones?
– Pues voy a ir .... Sicilia, a hacer un viaje por la isla.
• ¡Qué bien! ¿Y cómo vas?
– Pues voy a ir .... avión. No es directo a Sicilia, tengo que ir .... Roma y allí tomar otro avión .... Palermo.
• ¿Se tarda mucho?
– No, ... Barcelona .... Roma se tarda una hora y media, un poco más. Y .... Roma .... Palermo, una hora. No es mucho. Y después, vamos a alquilar un coche y vamos a recorrer la isla .... Palermo .... Catania, pasando .... Agrigento y Siracusa, todo en casas rurales.
• ¿Vais con los niños?
– Sí, casi todas las casas ofrecen muchas actividades para ellos: piscina, se puede montar .... bicicleta, ir .... caballo...

En tu idioma

6 **Traduce estas frases a tu idioma.**

1. Voy a ir a Sicilia, a hacer un viaje por la isla.
2. Voy en avión: tengo que ir por Roma.
3. De Barcelona a Roma se tarda una hora y media.
4. Hay actividades para niños: piscina, se puede montar en bicicleta, ir a caballo...

¿Y si vamos esta noche al concierto de Estopa?

Es que tengo mañana un examen, no puedo.

El fin de semana

1 **Completa el diálogo con estas frases.**

¿Qué piensas hacer...? / ¿Y si...? / ¿Por qué no...? / ¿Cómo quedamos? / Es que...

- – ¡Por fin es viernes!
- • Uf, sí, por fin.
- – ¿................................. este fin de semana?
- • Pues no lo sé... quiero ir al cine... Tengo ganas de ver *El laberinto del fauno.*
- – Yo también. ¿................................. no vamos hoy por la noche?
- • ....hoy no puedo, voy a ver a unos amigos.
  ¿................................. vamos mañana?
- – Vale, por la tarde me viene muy bien. ¿.................................?
- • Pues a las siete y media en la puerta del cine. Creo que la sesión es a las ocho.
- – De acuerdo, ¿qué cine es?
- • El Rosales.

63

¿Quedamos?

2 **Piensa en qué vas a hacer esta semana, fin de semana incluido. Escucha estas propuestas para quedar y acepta o rechaza.**

¡Vale / De acuerdo / No, no puedo. Es que...

Por teléfono

3 **Completa los diálogos con una de las expresiones del cuadro, dando información sobre ti si es necesario.**

1. – Sí, ¿dígame?
   • ¿.................................?
   – ¿De parte de quién, por favor?
   • ....
   – El Sr. Villanueva acaba de salir.

- • Diga,
- – Sí, ¿dígame?
- • Iberia, ¿dígame?
- – ¿El Sr. / La Sra. ....?
- • ¿Está...?,
- – Un momento, por favor, ahora se pone,
- • ¿De parte de quién?,
- – ¿Quiere dejar un recado?,
- • Lo siento es que está...,

2. – ...., ¿................................?

  • ¿Está María?

  – ...., ¿................................?

  • Soy ....

  – ...., ahora ....

3. – Urban Publicidad, ¿................................?

  • ¿La Sra. Colmenares, por favor?

  – ...., por favor, ¿................................?

  • Soy Ana Cáceres, de Restauración Bóvedas.

  – Lo siento, Sra. Cáceres, la Sra. Colmenares .... por la otra
    línea. ¿................................?

  • Sí, que necesito hablar con ella.

Cámaras digitales

4

Compara cada cámara digital de la columna de la izquierda con la de la de derecha.

Flanan Digital ICTUS x	Victus z(HMB) 400
Puntuación: ★★★★ Resolución del sensor: 10 Megapíxeles Peso: 165 g 345 €	Puntuación: ★★★★┘ Resolución del sensor: 7,1 Megapíxeles Peso: 103 g 158 €

Lenon EAI 150P	Rony DJ K400
Puntuación: ★★★★ Resolución del sensor: 8 Megapíxeles Peso: 540 g 1057 €	Puntuación:★★★★┘ Resolución del sensor: 7,2 Megapíxeles Peso: 144 g 399 €

Doran FSI 400A	Garan Digital ICTUS 40
Puntuación:★★★★┘ Resolución del sensor: 6,3 Megapíxeles Peso: 560 g 1231 €	Puntuación: ★★★★ Resolución del sensor: 5 Megapíxeles Peso: 130 g 269 €

Mentax L200B	Pony Cyber-shot DJ T4
Puntuación: ★★★★ Resolución del sensor: 6,1 Megapíxeles Peso: 560 g 525 € - 1077 €	Puntuación: ★★★★ Resolución del sensor: 5,1 Megapíxeles Peso: 116 g 399 € - 429 €

1. *La Flanan Digital ICTUS x tiene más puntuación que la Victus z[HMB] 400. Tiene más resolución,*
   pesa más y es más cara. ....

2. ....
   ....

3. ....
   ....

4. ....
   ....

1

Pon los acentos donde sea necesario.

1. A mi padre le gustan mucho las películas de guerra, pero a mi no.
2. Mira ese es Juan, el amigo de Jorge. ¿Quieres hablar con el?
3. Ya se que el se levanta pronto todos los días.
4. Siempre tomo te por las mañanas. ¿A ti te gusta el te?
5. ¿Que hay para cenar?
6. ¿Normalmente, tu te duchas o te bañas?
7. Mira esa es mi casa, ¿que te parece?... a mi me gusta mucho.
8. A ver, un cafe solo y un te con leche. ¿Para quien es el te?
9. Y el cafe es para el.
10. No se que quiero hacer.

64

2

Lee estas palabras en voz alta. Después escucha y marca las que oigas.

1. ☐ tema
2. ☐ paño
3. ☐ lana
4. ☐ niño
5. ☐ pana
6. ☐ nada
7. ☐ diana
8. ☐ coma
9. ☐ peña
10. ☐ maña
11. ☐ tono
12. ☐ broma
13. ☐ leña

65

3

Marca el orden en que oyes estas palabras.

☐ pero
☐ para
☐ caro
☐ cero

☐ perro
☐ parra
☐ carro
☐ cerro

66

4

Escribe estas palabras. Después, escucha otra vez y lee en voz alta.

....
....
....
....

Ficha 1 Léxico

Pista 58: ¿De qué hablan?

• ¿Qué te gusta hacer en tu tiempo libre?
– Pues... viajar, ir al cine o a cenar fuera de casa...
• ¿Practicas algún deporte?
– Bueno, yo monto en bicicleta. Como vivo en el campo...
• ¿Te gusta ver deportes?
– Sí, sí me gusta. Veo baloncesto, fútbol...
• Y ¿qué prefieres, verlos en la televisión o en directo?
– Normalmente veo el fútbol en la televisión, pero me gusta más verlo en directo, en el estadio.
• ¿Qué actividades de estas te gustan? ¿Leer, ver arte, ir al campo o quedarte en casa?
– Pues todas, bueno, casi todas: me gusta mucho pasear en el campo, leer... pero ver arte no me gusta mucho.
• Y la música, ¿te gusta?
– Sí, me gusta muchísimo. Me gusta escucharla en casa o ir a conciertos.

Ficha 2 Léxico

Pista 59: ¿Dígame?

a. Adiós, b. ¿Dígame?, c. ¿Está Carmen, por favor?, d. 91 528 22 93, e. Sí. ¿De parte de quién?, f. Sí, dígale que necesito hablar con ella para una cosa urgente.

Ficha 3 Gramática

Pista 60: ¿Cuándo lo vas a hacer?

1. ¿Cuándo vas a comer hoy?, 2. ¿Cuándo vas a descansar?, 3. ¿Cuándo vas a tener vacaciones?, 4. ¿Cuándo vas a cenar hoy?, 5. ¿Cuándo vas a ver a tus amigos?, 6. ¿Cuándo vas a dormir?, 7. ¿Cuándo vas a salir hoy?, 8. ¿Cuándo vas a hacer un viaje?,9. ¿Cuándo vas a terminar este ejercicio?

Ficha 4 Gramática

Pista 61: Comprueba

1. Bolivia es más grande que Chile, pero tiene menos habitantes. 2. Ecuador tiene casi tantos habitantes como Chile, pero es más pequeño. 3. Chile tiene menos habitantes que Argentina y es mucho más pequeño. 4. México es más pequeño que Argentina, y tiene muchos menos habitantes. 5. Argentina es más grande que México, y tiene muchos más habitantes. 6. En Bolivia hablan menos español que en Argentina 7. En Argentina hablan más español que en México. 8. En Chile hablan menos español que en Ecuador, México y Argentina.

Ficha 5 Gramática

Pista 62: Está...

1.– Laura, ¿está Carlos?
* Sí, creo que acaba de llegar.
2.– Hola, mamá, soy Miguel. ¿Está Ana?
* Sí, pero está durmiendo.
3. – ¿Podría hablar con el Sr. Ortiz? Soy María Guerrero.
* Buenos días, Sra. Guerrero. Lo siento, el Sr. Ortiz acaba de salir.
4. – ¿Está Sergio?
* Eres Carmen, ¿verdad? Mira, es que Sergio se está duchando.

Ficha 6 Funciones

Pista 63: ¿Quedamos?

1. ¿Por qué no vamos a dar un paseo el viernes por la tarde?, 2. ¿Y si quedamos el sábado para cenar?, 3. ¿Vamos el fin de semana al campo?, 4. ¿Desayunamos juntos mañana?, 5. ¿Por qué no vamos el jueves al concierto de salsa?, 6. ¿Te vienes a la fiesta de Ana el viernes?, 7. ¿Y si cenamos mañana en tu casa?, 8. ¿Por qué no vienes a mi casa el domingo a ver el partido de fútbol?

Ficha 7 Fonética

Pista 64: Ejercicio 2

paño, lana, niño, nada, diana, coma, peña, broma, leña.

Pista 65: Ejercicio 3

1. cerro, 2. pero, 3. caro, 4. carro, 5. perro, 6. cero, 7. para, 8. parra.

Pista 66: Ejercicio 4

arriba, quiero, rico, calor, Lara, amar, Conrado, alrededor, pira, puro, correo, mero.

Módulo 1

abogado/a (el, la)	....
acentuar	....
actriz (la)	....
adecuado/a	....
adiós	....
ahora	....
alemán (el)	....
alemana (la)	....
alfabeto (el)	....
amigo/a (el, la)	....
anotar	....
anterior	....
anuario (el)	....
apellido (el)	....
aprender	....
argentino/a (el, la)	....
arquitecto/a (el, la)	....
asociar	....
autor/-a (el, la)	....
banco (el)	....
bar (el)	....
barato/a	....
bien	....
bilingüe	....
biólogo/a (el, la)	....
brasileño/a (el, la)	....
buenos días	....
bueno/a	....
buscar	....
calle (la)	....
camarero/a (el, la)	....
canadiense (el, la)	....
cantante (el, la)	....
carné (el)	....
cenar	....
chino/a (el, la)	....
ciudad (la)	....
clase (la)	....
clasificar	....
código (el)	....
colocar	....
columna (la)	....
comer	....
compañero/a (el, la)	....
completar	....
conocer	....

correo (el)	....
corresponder	....
costa (la)	....
crédito (el)	....
cuadro (el)	....
cultura (la)	....
curso (el)	....
dar	....
dato (el)	....
dedicarse	....
deletrear	....
dependiente/a (el, la)	....
despedirse	....
día (el)	....
diálogo (el)	....
diferencia (la)	....
dirección (la)	....
diseñador (el)	....
doble (el)	....
documento (el)	....
dominicana (la)	....
ejecutivo/a (el, la)	....
electrónico/a	....
empresa (la)	....
enfermo/a (el, la)	....
entrada (la)	....
español/-a (el, la)	....
estadounidense (el, la)	....
estrella (la)	....
estudiante (el, la)	....
estudiar	....
europeo/a (el, la)	....
expresión (la)	....
extranjero/a (el, la)	....
familia (la)	....
famoso/a	....
final (el)	....
firma (la)	....
fluidez (la)	....
fontanero/a (el, la)	....
forma (la)	....
formal	....
formar	....
formulario (el)	....
francés (el)	....
francesa (la)	....
frase (la)	....

fuerte	....
gente (la)	....
grande	....
griego/a (el, la)	....
guatemalteco/a (el, la)	....
guitarra (la)	....
gusto (el)	....
habitación (la)	....
habitante (el)	....
hablar	....
hacer	....
hispano/a (el, la)	....
hoja (la)	....
holandés (el)	....
holandesa (la)	....
hospital (el)	....
hotel (el)	....
identidad (la)	....
ilustración (la)	....
imagen (la)	....
información (la)	....
informal	....
informar	....
informático/a (el, la)	....
inglés (el)	....
inglesa (la)	....
instituto (el)	....
intruso (el)	....
irregular	....
italiano/a (el, la)	....
japonés (el)	....
japonesa (la)	....
laboratorio (el)	....
lengua (la)	....
libre	....
llamarse	....
llave (la)	....
lugar (el)	....
lujo (el)	....
madre (la)	....
manejarse	....
mañana (la)	....
mapa (el)	....
mapamundi (el)	....
marroquí (el, la)	....
mayor	....
médico/a (el, la)	....

mercado (el)	....	primero/a (el, la)	....
mexicano/a (el, la)	....	problema (el)	....
millón (el)	....	profesión (la)	....
moda (la)	....	profesor/-a (el, la)	....
mujer (la)	....	pronunciar	....
mundo (el)	....	propio/a	....
música (la)	....	psiquiatra (el, la)	....
músico (el)	....	público/a	....
nacimiento (el)	....	puertorriqueño/a (el, la)	....
nacionalidad (la)	....	puesto (el)	....
noche (la)	....	recepcionista (el, la)	....
nombre (el)	....	registro (el)	....
noticia (la)	....	regular	....
nuevo/a (el, la)	....	relacionar	....
número (el)	....	rellenar	....
observar	....	renovar	....
ocasión (la)	....	repetir	....
ocupar	....	reserva (la)	....
oficial	....	reservar	....
oficina (la)	....	responder	....
origen (el)	....	respuesta (la)	....
orquesta (la)	....	restaurante (el)	....
padre (el)	....	rico/a	....
página (la)	....	ruso/a	....
país (el)	....	saludarse	....
palabra (la)	....	saludo (el)	....
pasaporte (el)	....	secretario/a (el, la)	....
paz (la)	....	sencillo/a	....
perdón	....	señor/-a (el, la)	....
perfume (el)	....	ser	....
periodista (el, la)	....	serie (la)	....
persona (la)	....	sexo (el)	....
personaje (el)	....	sílaba (la)	....
personal	....	situación (la)	....
peruano/a (el, la)	....	subrayar	....
piano (el)	....	tarde (la)	....
planeta (el)	....	tarjeta (la)	....
población (la)	....	teléfono (el)	....
policía (el)	....	tener	....
poner	....	tenista (el, la)	....
popular	....	texto (el)	....
por favor	....	tipo (el)	....
postal (la)	....	trabajar	....
pregunta (la)	....	universidad (la)	....
preguntar	....	usar	....
premio (el)	....	vender	....
presente	....	venezolano/a (el, la)	....

verbo (el)	....
vez (la)	....
viajar	....
viaje (el)	....
viajero/a (el, la)	....
visita (la)	....
vivir	....
vocabulario (el)	....

Módulo 2

abstracto/a	....
abuelo/a	....
acento (el)	....
actividad (la)	....
actor (el)	....
actual	....
actualizar	....
acuerdo (el)	....
adaptable	....
adivinar	....
administración (la)	....
administrador/-a (el, la)	....
afición (la)	....
agencia (la)	....
agenda (la)	....
alma (el)	....
alto/a	....
alumno/a (el, la)	....
ama de casa (el)	....
amable	....
antiguo/a	....
antipático/a	....
anuncio (el)	....
año (el)	....
aperitivo (el)	....
árbol (el)	....
arreglar	....
arte (el)	....
artista (el)	....
aspecto (el)	....
atractivo/a	....
atrevido/a	....
ayudar	....
bajo/a	....
barba (la)	....
bibliotecario (el)	....

bigote (el)	....	describir	....	hablador/-a	....	
blanco/a	....	dibujo (el)	....	hermano/a	....	
boca (la)	....	diciembre	....	hijo/a	....	
bonito/a	....	diferente	....	hogar (el)	....	
calvo/a	....	director/-a (el, la)	....	hombre (el)	....	
cámara (la)	....	dirigir	....	humano (el)	....	
cambio (el)	....	distancia (la)	....	humor (el)	....	
cara (la)	....	divertido/a	....	idea (la)	....	
carácter (el)	....	doctor/-a (el, la)	....	identificar	....	
casa (la)	....	edad (la)	....	igual	....	
casado/a	....	eficaz	....	imaginar	....	
castaño/a	....	egoísta	....	importante	....	
centro (el)	....	ejemplo (el)	....	impuesto (el)	....	
charlar	....	empleado/a (el, la)	....	independiente	....	
chico/a (el, la)	....	encontrar	....	indicar	....	
científico/a	....	enseñar	....	índice (el)	....	
cine (el)	....	escribir	....	infanta (la)	....	
clásico/a	....	escritor/a (el, la)	....	inteligente	....	
cliente/a (el, la)	....	escuela (la)	....	intensidad (la)	....	
clínica (la)	....	espejo (el)	....	intercambio (el)	....	
colaborador/-a (el, la)	....	esquema (el)	....	interesante	....	
coleccionar	....	estadística (la)	....	ir	....	
colega (el, la)	....	explicar	....	izquierda (la)	....	
comercial	....	extravertido/a	....	jefe/a (el, la)	....	
complicado/a	....	falso/a	....	junto	....	
comprobar	....	fiesta (la)	....	labio (el)	....	
contemporáneo/a	....	financiero/a	....	largo/a	....	
continuación (la)	....	finanzas las	....	leal	....	
contratar	....	fino/a	....	leer	....	
conversación (la)	....	firme	....	línea (la)	....	
correcto/a	....	flaco/a	....	liso	....	
correspondiente	....	fondo (el)	....	literatura (la)	....	
cortés	....	fotografía (la)	....	llevar	....	
cortesía (la)	....	frecuente	....	mago	....	
corto/a	....	fundación (la)	....	mano (la)	....	
creativo/a	....	fútbol (el)	....	marca (la)	....	
cuestionario (el)	....	futuro (el)	....	marido (el)	....	
cumpleaños (el)	....	gafas (las)	....	matrimonio (el)	....	
decir	....	gemelos (los)	....	mentiroso/a	....	
delgado/a	....	genealógico	....	miembro (el)	....	
dentista	....	general	....	mirar	....	
departamento (el)	....	golf (el)	....	mismo/a	....	
deporte (el)	....	gordo/a	....	modelo (el)	....	
deportista (el, la)	....	gracias	....	moderno/a	....	
derecha (la)	....	gráfico (el)	....	montaña (la)	....	
descansar	....	grosero/a	....	moreno/a	....	
desconfiado/a	....	grupo (el)	....	móvil (el)	....	

museo (el) ....

nacional ....

nada ....

nariz (la) ....

natalidad (la) ....

necesario ....

negativo/a ....

nieto/a ....

niño/a ....

normal ....

novio/a ....

obra (la) ....

observador/-a ....

ojo (el) ....

ondulado ....

opción (la) ....

ordenador (el) ....

oreja (la) ....

organizar ....

paciente ....

parecerse ....

pareja (la) ....

partir ....

paseo (el) ....

pediatra (el, la) ....

pequeño/a ....

perezoso/a ....

periódico ....

permanente ....

personalidad (la) ....

pintor/-a (el, la) ....

pintura (la) ....

piso (el) ....

plano (el) ....

playa (la) ....

poco ....

porcentaje (el) ....

porque ....

posible ....

positivo/a ....

presentar ....

princesa (la) ....

príncipe (el) ....

privado/a ....

producto (el) ....

programa (el) ....

provocador/-a (el, la) ....

publicidad (la) ....

punto (el) ....

puntuar ....

raro/a ....

rasgo (el) ....

real ....

realista ....

recto ....

redondo/a ....

refrán (el) ....

regalo (el) ....

regla (la) ....

reina (la) ....

relación (la) ....

responsable ....

retrato (el) ....

revista (la) ....

rey (el) ....

rubio/a ....

salir ....

sello (el) ....

sensible ....

sentido (el) ....

señalar ....

separado/a ....

serio/a ....

siglo (el) ....

siguiente (el, la) ....

simpático/a ....

sincero/a ....

sobrino/a ....

sociable ....

soltero/a ....

supermercado (el) ....

supervisar ....

teatro (el) ....

tenis (el) ....

terminar ....

tímido/a ....

tío/a (el, la) ....

tomar ....

trabajador/-a (el, la) ....

trabajo (el) ....

tranquilo/a ....

transporte (el) ....

trato (el) ....

último/a (el, la) ....

único/a (el, la) ....

unión (la) ....

utilizar ....

vacaciones (las) ....

vago/a ....

valiente ....

vendedor/-ra (el, la) ....

venta (la) ....

ventana (la) ....

verdadero/a ....

vez ....

Módulo 3

acabar ....

aceite (el) ....

aceituna (la) ....

agricultura (la) ....

agua (el) ....

aguacate (el) ....

ajo (el) ....

alcachofa (la) ....

alimentación (la) ....

alimento (el) ....

arroz (el) ....

asado (el) ....

atún (el) ....

autonomía (la) ....

azafrán (el) ....

azúcar (el) ....

bocadillo (el) ....

bollo (el) ....

botella (la) ....

cacao (el) ....

café (el) ....

calabacín (el) ....

calcular ....

calidad (la) ....

cantidad (la) ....

carne (la) ....

caro/a ....

carta (la) ....

cartel (el) ....

cebolla (la) ....

cena (la) ....

cerdo (el) ....

cerveza (la) ....

champiñón (el)	....	gustar	....	pedir	....
cheque (el)	....	hábito (el)	....	pensar	....
chocolate (el)	....	helado (el)	....	perejil	....
chorizo (el)	....	hora (la)	....	pescado (el)	....
chuleta (la)	....	horario (el)	....	picar	....
churro (el)	....	hoy	....	pimienta (la)	....
cocina (la)	....	huevo (el)	....	pimiento (el)	....
coliflor (la)	....	importancia (la)	....	pincho (el)	....
comida (la)	....	ingrediente (el)	....	piña (la)	....
compra (la)	....	innovación (la)	....	pizza (la)	....
comprar	....	invitar	....	plancha (la)	....
constructor/-a (el, la)	....	jamón (el)	....	plátano (el)	....
contrario	....	judías (las)	....	plato (el)	....
cordero (el)	....	jugo (el)	....	población (la)	....
cuchillo (el)	....	lácteos (los)	....	poder	....
cuenta (la)	....	lata (la)	....	pollo (el)	....
desayuno (el)	....	leche (la)	....	precio (el)	....
descripción (la)	....	lechuga (la)	....	premiado/a	....
dieta (la)	....	legumbre (la)	....	promocionar	....
dinámica (la)	....	lentejas (las)	....	queso (el)	....
dinero (el)	....	limón (el)	....	ración (la)	....
directo	....	lista (la)	....	realidad (la)	....
discutir	....	lotería (la)	....	realizar	....
dulce	....	magdalena (la)	....	receta (la)	....
duro/a	....	maíz (el)	....	reforma (la)	....
elegir	....	mantequilla (la)	....	región (la)	....
encargar	....	manzana (la)	....	saber	....
ensalada (la)	....	marisco (el)	....	sabroso/a	....
envase (el)	....	mediterráneo/a	....	sal (la)	....
escuchar	....	mejillones (los)	....	salado/a	....
espaguetis (los)	....	melocotón (el)	....	salchicha (la)	....
espárragos (los)	....	menú (el)	....	salsa (la)	....
estúpido/a	....	merluza (la)	....	salud (la)	....
expresar	....	mermelada (la)	....	sandía (la)	....
fácil	....	mesa (la)	....	sano/a	....
favorito/a (el, la)	....	motivo (el)	....	sardina (la)	....
filete (el)	....	naranja (la)	....	servilleta (la)	....
firmar	....	natural	....	siempre	....
fresa (la)	....	negocio (el)	....	silla (la)	....
fruta (la)	....	nota (la)	....	simple	....
galleta (la)	....	oliva (la)	....	sopa (la)	....
gambas (las)	....	opinión (la)	....	tabla (la)	....
garbanzos (los)	....	pan (el)	....	taco (el)	....
gastronomía (la)	....	papas (las)	....	tapas (las)	....
gazpacho (el)	....	parte (la)	....	tarta (la)	....
grabación (la)	....	pasta (la)	....	taza (la)	....
grasa (la)	....	patatas (las)	....	tema (el)	....

típico/a	....	bizcocho (el)	....
tique (el)	....	cafetería (la)	....
todo	....	cajero (el)	....
tomate (el)	....	campo (el)	....
tortilla (la)	....	cansado/a	....
tostada (la)	....	capital	....
tradicional	....	característica (la)	....
unidad (la)	....	casero/a	....
uvas (las)	....	ciencia (la)	....
vaca (la)	....	coche (el)	....
vaso (el)	....	colección (la)	....
vegetariano/a	....	complejo/a	....
verdad (la)	....	comunicado (el)	....
verde	....	confirmar	....
verdura (la)	....	conocido/a	....
vestido (el)	....	consulta (la)	....
vida (la)	....	contacto (el)	....
vino (el)	....	costumbre (la)	....
yogur (el)	....	cultural	....
zumo (el)	....	despacho (el)	....
		diccionario (el)	....
		directorio (el)	....

Módulo 4

acción (la)	....	disculpa (la)	....
acogedor/-a	....	domicilio (el)	....
activo/a	....	dormir	....
acuario (el)	....	económico/a	....
administrativo/a	....	edificio (el)	....
agobiante	....	elegante	....
agradable	....	elemento (el)	....
agradecimiento (el)	....	encantado	....
alegre	....	entorno (el)	....
ambiente (el)	....	entrar	....
anciano/a (el, la)	....	equipo (el)	....
animado/a	....	espacio (el)	....
arquitectónico/a	....	establecimiento (el)	....
ascensor (el)	....	estación (la)	....
aspirina (la)	....	estadio (el)	....
atención (la)	....	estanco (el)	....
autobús (el)	....	estrecho (el)	....
automático/a	....	estructura (la)	....
autónomo/a	....	explotación (la)	....
aventura (la)	....	exposición (la)	....
avión (el)	....	exterior (el)	....
ayuntamiento (el)	....	fabricante (el)	....
barrio (el)	....	farmacia (la)	....
beber	....	feo/a	....
		festivo	....

ficha (la)	....		
figura (la)	....		
floristería (la)	....		
fórmula (la)	....		
fotocopia (la)	....		
fuego (el)	....		
fuente (la)	....		
función (la)	....		
galería (la)	....		
gato/a (el, la)	....		
geográfico	....		
gestoría (la)	....		
hermoso/a	....		
hispanohablante	....		
histórico/a	....		
hueco (el)	....		
idioma (el)	....		
iglesia (la)	....		
impresionante	....		
incluir	....		
incómodo/a	....		
industria (la)	....		
inmigrante (el, la)	....		
integración (la)	....		
invierno (el)	....		
itinerario (el)	....		
jardín (el)	....		
joven (el, la)	....		
ley (la)	....		
librería (la)	....		
libro (el)	....		
limpieza (la)	....		
lío (el)	....		
llamada (la)	....		
llegar	....		
lúdico/a	....		
luna (la)	....		
mandar	....		
mantener	....		
medicina (la)	....		
medio (el)	....		
mercadillo (el)	....		
metro (el)	....		
nocturno	....		
ocio (el)	....		
óptica (la)	....		
panadería (la)	....		

parque (el)	....	afeitarse	....	espectacular	....
pasear	....	agarrar	....	establecer	....
piscina (la)	....	agosto	....	estudio (el)	....
planta (la)	....	altar (el)	....	organizado/a	....
plato (el)	....	altura (la)	....	evento (el)	....
polideportivo (el)	....	anillo (el)	....	experiencia (la)	....
protagonista (el, la)	....	aparcamiento (el)	....	extracto (el)	....
próximo/a	....	artesanía (la)	....	extraer	....
pueblo (el)	....	artificial	....	factura (la)	....
puerta (la)	....	asunto (el)	....	fecha (la)	....
raíces (las)	....	audición (la)	....	felicitación (la)	....
reaccionar	....	auditorio (el)	....	feria (la)	....
recibir	....	avenida (la)	....	físico (el)	....
recuerdo (el)	....	banda (la)	....	flor (la)	....
ropa (la)	....	bañarse	....	frecuencia (la)	....
rosa	....	beso (el)	....	gestación (la)	....
ruidoso/a	....	caja (la)	....	gimnasio (el)	....
sabor (el)	....	calavera (la)	....	gitano/a (el,la)	....
sacar	....	camino (el)	....	gratuito/a	....
secretario (el)	....	celebración (la)	....	guerra (la)	....
sede (la)	....	celebrar	....	guisar	....
seguir	....	cementerio (el)	....	hemisferio (el)	....
seguro	....	cerrar	....	hoguera (la)	....
semana (la)	....	cielo (el)	....	jornada (la)	....
servicios (los)	....	cita (la)	....	joya (la)	....
sol (el)	....	colaboración (la)	....	juego (el)	....
terraza (la)	....	color (el)	....	jugar	....
tienda (la)	....	comunidad (la)	....	juguete (el)	....
tintorería (la)	....	concertar	....	julio	....
tranquilidad (la)	....	contestador (el)	....	junio	....
valorar	....	corregir	....	laboral	....
ver	....	cotidiano	....	levantarse	....
veterinario/a (el, la)	....	deducir	....	maravilloso/a	....
zapatería (la)	....	definición (la)	....	martes (el)	....
zapato (el)	....	deportivo/a	....	marzo	....
zona (la)	....	diente (el)	....	mayo	....
		difunto/a	....	mensaje (el)	....
		discoteca (la)	....	mes (el)	....

Módulo 5

abierto/a	....	domingo (el)	....	miércoles (el)	....
abrazo (el)	....	ducha (la)	....	momento (el)	....
abrir	....	ducharse	....	muerte (la)	....
aceptar	....	editorial (la)	....	multimedia (el)	....
acostarse	....	elaborar	....	obelisco (el)	....
acto (el)	....	empezar	....	ofrenda (la)	....
actuar	....	encantador/-a	....	origen (el)	....
adulto (el)	....	encuentro (el)	....	pago (el)	....
		enero	....	paloma (la)	....

papel (el)	....
peinarse	....
película (la)	....
perspectiva (la)	....
pétalo (el)	....
pronto	....
purificación (la)	....
quedar	....
rápido/a	....
reloj (el)	....
reunir	....
rezar	....
riqueza (la)	....
rótulo (el)	....
rutina (la)	....
sábado (el)	....
salón (el)	....
sector (el)	....
septiembre	....
tiempo (el)	....
tumba (la)	....
uñas (las)	....

Módulo 6

aclarar	....
aconsejable	....
acordeón (el)	....
acueducto (el)	....
aflamencado	....
africano/a	....
ajustar	....
alegría (la)	....
amante (el, la)	....
animal (el)	....
aniversario (el)	....
añadir	....
arqueológico/a	....
atlántico	....
ausencia (la)	....
baile (el)	....
bandoneón (el)	....
biblioteca (la)	....
bicicleta (la)	....
billete (el)	....
bioquímica (la)	....
calor (el)	....

cama (la)	....
canción (la)	....
catedral (la)	....
clave (la)	....
colgar	....
comercializar	....
comparación (la)	....
concierto (el)	....
conducir	....
conferencia (la)	....
constitución (la)	....
corazón (el)	....
cosa (la)	....
cruz (la)	....
dejar	....
dosier (el)	....
duna (la)	....
electricista (el)	....
embarazada (la)	....
emigrante (el, la)	....
especialidad (la)	....
esquí (el)	....
esquina (la)	....
evidenciar	....
exacto/a	....
excepto	....
exportación (la)	....
falta (la)	....
fantasma (el)	....
flecha (la)	....
fragmento (el)	....
global	....
iberia	....
ibérico	....
ideal	....
internacional	....
isla (la)	....
jazz (el)	....
jueves (el)	....
lectura (la)	....
mancha (la)	....
maquetar	....
mar (el)	....
marcha (la)	....
medieval	....
melodrama (el)	....
mensual	....

mostrar	....
natación (la)	....
necesitar	....
nivel (el)	....
ofrecer	....
orden (el)	....
paquete (el)	....
perfecto/a	....
presupuesto (el)	....
prisa (la)	....
privilegiado/a	....
producir	....
profundo/a	....
promoción (la)	....
publicitario/a	....
quizás	....
recado (el)	....
rechazar	....
relajar	....
reunión (la)	....
río (el)	....
ruina (la)	....
sensibilidad (la)	....
sensual	....
simular	....
sociedad (la)	....
sorprender	....
temporada (la)	....
tocar	....
triste	....
trompeta (la)	....
turismo (el)	....
único/a	....
venir	....
visión (la)	....
volver	....